SCIENCE FICTION

Herausgegeben
von Wolfgang Jeschke

Von Lino Aldani erschienen in der Reihe
HEYNE-SCIENCE FICTION & FANTASY:

Arnos Flucht (06/3686)
Verfinsterung (06/3990)
Die Labyrinthe der Zukunft (Hrsg.; 06/4059)
Die vierte Dimension (06/4267)

LINO ALDANI

DIE VIERTE DIMENSION

Science Fiction Erzählungen

Deutsche Erstveröffentlichung

WILHELM HEYNE VERLAG
MÜNCHEN

HEYNE SCIENCE FICTION & FANTASY
Band 06/4267

Titel der italienischen Originalausgabe
QUARTA DIMENSIONE
Deutsche Übersetzungen von Hilde Linnert
Das Umschlagbild schuf M. Goledzinowski

Redaktion: Rainer Michael Rahn

Printed in Germany 1986
Umschlaggestaltung: Atelier Ingrid Schütz, München
Satz: Schaber/Wels
Druck und Bindung: Elsnerdruck, Berlin

ISBN 3-453-31246-5

Tod eines Geheimagenten 7
(Morte d'un agente segreto)

Das Bergwerk 28
(La miniera)

Canis sapiens 32
(Canis sapiens)

Vollkommene Technokratie 49
(Tecnocrazia integrale)

Der Krake 63
(Il kraken)

Über Befehle wird nicht diskutiert 83
(Gli ordini non si discutono)

Eine echte Rothaarige 93
(Una rossa autentica)

Die Neugierigen 112
(I curiosi)

Die letzte Wahrheit 123
(L'ultima verità)

Der Mond mit den zwanzig Armen 140
(La luna delle venti braccia)

Korok 158
(Korok)

Gute Nacht, Sofia 163
(Buonanotte, Sofia)

Tod eines Geheimagenten

Seit vierhundert Jahren vertragen sich der Mars und die Erde nicht mehr, nämlich seitdem die Kolonisten des roten Planeten nach langem, erbittertem Kampf ihre Unabhängigkeit errungen haben.

Heute ist der Mars eine blühende, in voller Entwicklung begriffene Welt: ein an Rohstoffen reicher Planet, auf dem eine junge, gesunde Bevölkerung bereits davon träumt, sich an die Eroberung des gesamten Sonnensystems zu machen.

Aus diesem Grund wimmelt es auf der Erde von Spionen. Überall gibt es marsianische Spione, in den Büros, hinter den Ladentischen der Warenhäuser, in den Fabriken und Laboratorien, in der Armee. Man kann nichts dagegen unternehmen: Wenn man einen verhaftet, treffen hundert neue Agenten ein, die noch skrupelloser, noch besser geschult, noch gefährlicher sind.

Das Unheil ist unabwendbar. Im übrigen wimmelt es auch auf dem Mars von terrestrischen Spionen, die genauso skrupellos, genausogut geschult sind. Ein unterirdischer Kampf ist im Gang, ein Kampf, in dem alle Mittel erlaubt sind – es ist der zermürbendste und härteste kalte Krieg, den die Erde je erlebt hat.

Gregory Barnes verließ den Raumhafen von Neu-Washington um genau 15 Uhr und blieb einige Augenblicke unschlüssig unter dem ungeheuren Dach stehen. Er mußte sich vor neunzehn Uhr zur üblichen Kontrolle bei Oberst Lunigan melden, hatte also noch genügend Zeit, um sich zu rasieren, zu duschen und ein paar Stunden zu schlafen.

Er winkte einem Lufttaxi. Das heißt, es stand vor ihm, noch bevor er gewinkt hatte.

»Würde es Ihnen etwas ausmachen, auf dem Vordersitz Platz zu nehmen?« fragte der Fahrer. »Ich habe die Sitze frisch gestrichen, und die Farbe ist noch nicht ganz trokken.«

Gregory setzte sich neben den Fahrer. Er war müde und nervös; achtzehn Stunden in einem Raumschiff sind kein Spaß, auch wenn es noch so viele Annehmlichkeiten bietet.

Er trommelte mit den Fingern auf dem Aktenkoffer, dann musterte er den Fahrer. Ein vollkommen normaler Typ. Wachsame Augen, vorstehendes Kinn, dicke, ungepflegte Hände, eine Jacke aus Kunstleder, die ihrem Träger eine Spur zu klein war. Er gehörte zu den gesprächigen Taxilenkern, eine Heimsuchung für schweigsame Fahrgäste.

Der Fahrer begann, über das Wetter zu reden, aber Gregory hörte ihm nicht zu. Der Fahrer versuchte es mit dem Sport. Gregory schwieg beharrlich. Dann fragte der Fahrer: »Wie steht es dort oben? Werden wir es schaffen, den Krieg zu vermeiden?«

Gregory zuckte zusammen, musterte den Taxilenker noch einmal mißtrauisch, begriff aber sofort, daß sein Verdacht nicht gerechtfertigt war. Er hatte den Raumhafen um fünfzehn Uhr verlassen; die Fahrer, die unter dem Schutzdach warteten, kannten die Fahrpläne der Raumschiffe und ihre Heimathäfen genau. Es war nicht schwierig zu erraten, daß Gregory von der Venus kam.

»Ich nehme an, daß Sie sich aus dem Staub gemacht haben«, fuhr der Fahrer lachend fort. »Stimmt's?«

Gregory sah hinaus. Die Gebäude und Gärten von Neu-Washington erstreckten sich im warmen Nachmittagssonnenschein, so weit das Auge reichte. Der Fahrer hatte die Automatik eingeschaltet, die Arme verschränkt und lächelte freundlich. Gregory führte eine Zigarette zum Mund.

»Die Situation ist verworren«, meinte er, »aber ich halte es für verfrüht, deshalb die Zelte abzubrechen.«

Er suchte in seiner Tasche nach einem Feuerzeug. Der Fahrer beugte sich mit dem automatischen Anzünder zu ihm, drückte auf den Knopf, und eine gelbliche, bitter riechende Wolke hüllte Gregorys Gesicht ein. Er hatte gerade noch Zeit zu denken: »Jetzt haben sie mich erwischt«, dann brach er ohnmächtig zusammen.

Auf der Kristallreede auf der Venus ist es Nacht geworden. Die Siedler schlafen. Sie arbeiten den ganzen Tag schwer und kämpfen in einem Klima, das den Körper zermürbt und die Sinne abstumpft, gegen die feindliche Umgebung.

Das Leben auf der Venus ist kein Honiglecken. Die Terrestrier haben sich erst dazu entschlossen, den Planeten zu kolonisieren, als die Bevölkerungsexplosion auf der Erde zu schweren Unruhen geführt hat. Der Mars hatte seine Grenzen für Einwanderer gesperrt. Man mußte einen Ausweg finden, neue Bodenschätze, die man ausbeuten konnte, Nahrung für Millionen Menschen.

Auch auf der Kristallreede gibt es Spione. Die Agenten der marsianischen und terrestrischen Geheimdienste spinnen schon seit längerer Zeit ihre Fäden. Auf dem Schachbrett des Krieges, der jeden Augenblick ausbrechen kann, stellt die Venus eine viel zu wichtige Figur dar.

Das wissen auch die Kolonisten. Aber die Arbeit, die Schwierigkeiten und die Müdigkeit lassen ihnen keine Zeit, sich Sorgen zu machen. Sie schlafen in der Stille der feuchten, warmen Nacht, in der Eintönigkeit der Kristallreede den Schlaf des Gerechten.

Millionen Kilometer entfernt beginnt auf der Erde für Gregory Barnes die entsetzlichste Nacht seines Lebens.

Der Raum war schmutzig, enthielt so gut wie keine Möbel, und der Verputz blätterte ab. Das war das erste, was er bemerkte: den abblätternden Verputz. Er dachte überrascht darüber nach, wie merkwürdig sein Erwachen gewesen war; er hatte zuerst die Einzelheiten und dann erst seine Umgebung als Ganzes wahrgenommen.

Er saß. Er versuchte, die Beine zu bewegen, doch es gelang ihm nicht; dennoch war er davon überzeugt, daß er nicht gefesselt war. Das Zimmer verfügte über keine Fenster, vielleicht befand er sich in einer Fabrik: die grünlichen Flecke auf den Wänden und die Risse bestärkten ihn in dieser Annahme.

Hinter ihm stand jemand. Unzählige leise Geräusche und ein schweres, ersticktes Atmen, das auf einen Asthmatiker schließen ließ, verrieten seine Anwesenheit.

Jemand übte einen Druck auf die Rücklehne des Stuhls aus, und Gregory beschrieb eine halbe Drehung. Er blinzelte. Vor ihm befand sich ein Schreibtisch, und dahinter ein Mann mit starrem, gleichgültigem Gesicht.

Neben ihm stand noch jemand. Es war nicht der Fahrer

des Lufttaxis, sondern ein kleiner, magerer Mann mit gelben, wieselflinken Augen, der ihn mit hochgezogenen Augenbrauen musterte.

Der Mann hinter dem Schreibtisch neigte unmerklich den Kopf. Daraufhin trat der kleine, magere Mann geschmeidig neben Gregory, faßte ihn zart am Kinn und zwang ihn, das Gesicht zu heben. In seinen Augen entdeckte Gregory einen Anflug von Bosheit und Sadismus.

Der Magere schnellte wie eine Feder vor; eine heftige Ohrfeige traf Gregory auf die linke Wange. Sofort hatte er den süßlichen Geschmack von Blut im Mund. Eine Hand packte seine Haare und zwang ihn, das Gesicht wieder zu heben. Ein zweiter schrecklicher Schlag traf ihn noch härter.

»Nun?« fragte der Magere scharf und voller Ironie. »Wollen wir mit dem Verhör beginnen, Major Barnes?«

Es war eine Stimme aus einem Alptraum, die einem eine Gänsehaut über den Rücken jagte. Gregory Barnes hob mühsam einen Arm, fuhr sich mit der Hand über das Gesicht, wischte das Blut von der aufgeplatzten Lippe und spuckte auf den Boden.

»Ich heiße nicht Barnes«, stellte er richtig. Er versuchte, möglichst natürlich zu sprechen, in seine Stimme einen leicht verwunderten, verständnislosen Klang zu legen. »Ich heiße Edmond Brooks, Ingenieur für Elektronik bei der Silver and Bauer Co.«

»Unsinn«, unterbrach ihn die scharfe Stimme. »Sie sind Major Gregory Barnes vom Geheimdienst.«

Eine Tür ging auf, und eine etwa dreißigjährige, platinblonde Frau erschien. »Soll ich die Injektion fertigmachen?« fragte sie vollkommen unbeteiligt.

Der Mann am Schreibtisch nickte. Die Blondine verließ das Zimmer und erschien nach einigen Augenblicken mit einer Injektionsspritze und einem Wattebausch.

Sie streifte seinen Ärmel hinauf. Gregory warf einen Blick auf seine Armbanduhr: es war 19 Uhr 45 am 27. April 2843. Seit seiner Ankunft auf dem Raumflughafen von Neu-Washington waren also ungefähr sechs Stunden vergangen.

Er wehrte sich nicht dagegen, daß die Frau ihm das

Wahrheitsserum in die Vene spritzte, und überlegte inzwischen. Wer konnten dieser Kerle sein und woher wußten sie, daß er Agent des Geheimdienstes war? Zweifellos war er Agenten des marsianischen Geheimdienstes in die Hände gefallen, und sie wollten von ihm erfahren, wo der Kollektor versteckt war.

Einige Minuten vergingen, in denen sich nichts Außergewöhnliches ereignete. Der Magere ging um Gregorys Stuhl herum, die Blondine war zur Seite getreten, der Mann am Schreibtisch rauchte mit steinernem Gesicht.

Der Magere blickte auf die Uhr, wartete noch einige Augenblicke und trat dann zu Gregory.

»Sie heißen?«

»Ich habe es Ihnen schon gesagt: Edmond Brooks.«

»Lügner!«

»Ich bin Edmond Brooks, ich schwöre es. Edmond Brooks, Ingenieur für Elektronik bei der ...«

»Schluß«, brüllte der Mann am Schreibtisch. Dann wandte er sich an die Frau: »Bring das Betaphil.«

Die Blondine verließ das Zimmer. Gregory versuchte, sich zu beherrschen. Er wußte, daß auch das Betaphil nutzlos war: Vor sechs Monaten war er auch gegen diese Droge immunisiert worden, und die Immunisierung wirkte über zwei Jahre lang. Dennoch empfand er bei diesem Namen merkwürdigen Widerwillen. Für einen nicht Immunisierten stellte das Betaphil eine unerträgliche Qual dar, die jeden zum Singen brachte, auch wenn er nichts zu erzählen hatte. Die Droge weckte die unbewußten, geheimen, unergründlichen Ängste des Menschen, die plötzlich ans Tageslicht traten und den Unglücklichen zerfleischten.

Während der Ausbildung hatte er einmal mit einem Arzt gesprochen, der sich freiwillig für Experimente mit dem Betaphil zur Verfügung gestellt und eine fürchterliche Erfahrung damit gemacht hatte. Der Arzt hatte unbewußt Angst vor Insekten. Nach der Injektion war er beinahe verrückt geworden: Ungeheure, zwei oder drei Meter große Küchenschaben kreisten ihn erbarmungslos ein, versuchten ihn mit ihren Beißzangen zu fassen, und um ihn verbreitete sich der scharfe Geruch von Ameisensäure, als wäre der Raum voller zertretener Ameisen.

Gregory hielt es nicht für richtig, eine Angst vorzutäuschen, die er auf keinen Fall empfand. Nicht einmal der beste Schauspieler der Welt hätte seine Gegner auf diese Art und Weise täuschen können. Deshalb entwarf er einen anderen Verteidigungsplan.

Als die Blondine wieder eintrat, rief er beunruhigt und ängstlich: »Was tun Sie?«, gleichzeitig wehrte er sich gegen die Injektion, so daß der Magere ihm wieder ein paar Ohrfeigen versetzen mußte. Erst danach ließ er zu, daß die Frau ihm die Spritze verabreichte.

Auch der Magere zündete sich eine Zigarette an. Die Blondine setzte sich und betrachtete ihre Fingernägel. Die Zeit verrann, Sekunden tropften in den Abgrund der Angst.

Der Magere stand auf, ging um Gregorys Stuhl herum und murmelte: »Es ist zwecklos, das Betaphil wirkt nicht. Das war zu erwarten.«

Er stütze die Hände auf den Schreibtisch: »Ich finde, daß die Sache klar ist. Wenn das Betaphil nicht wirkt, gehört er zweifellos dem Geheimdienst an. Was tun wir? Soll ich ihn weiter bearbeiten?«

Der Mann hinter dem Schreibtisch schnaubte hörbar. »Hol Steve.« Er kratzte sich dabei hinter dem Ohr.

Der Magere öffnete die Tür, winkte, und Steve trat ein. Es handelte sich um einen großen, kräftigen jungen Mann mit glatten Haaren und olivenfarbener Haut. Seine Hände waren riesig. Gregory bemerkte die Hände, und sein Magen verkrampfte sich.

»Ich gehe schnell mal essen«, erklärte der Magere. »Mach du weiter.«

Steve lächelte. Gregory sah blendend weiße, gleichmäßige Zähne, einen kräftigen Kiefer, der die Zigarre zermalmte wie einen Strohhalm.

Steve beugte sich über Gregory, blies ihm den Zigarrenrauch ins Gesicht und begann dann mit dem Verhör.

»Du heißt?«

Gregory zuckte die Achseln.

»Spiel nicht den Dummen«, sagte Steve lächelnd. Mit einer raschen Bewegung riß er Gregory ein Haarbüschel aus. Er blieb einige Augenblicke unbeweglich stehen, betrachtete das Büschel, dann blies er es weg und wischte sich die Finger ab.

»Muß ich die Frage wiederholen?«

»Hören Sie auf!« schrie Gregory. »Ich heiße Brooks, das habe ich schon mindestens zehnmal gesagt. Meine Papiere sind in Ordnung ...«

»Sie sind gefälscht. Dein wirklicher Name lautet Gregory Barnes.«

Gregory schüttelte energisch den Kopf.

»Hör mir zu, du Idiot. Vor drei Tagen hast du dich bei der Kristallreede auf der Venus befunden. Einer unserer Agenten hat dich bemerkt und ist dir gefolgt, dann hat er dich aus den Augen verloren. Wir wissen genau, welche Aufgabe du dort erledigt hast: Du hast den Kollektor zusammengestellt.«

»Das stimmt nicht. Ich weiß nicht einmal, was ein Kollektor ist.«

»Wirklich? Vielleicht hat die Luftveränderung dein Gedächtnis angegriffen. Hör mir gut zu, du Wurm. Nehmen wir einmal an, daß du uns nicht erzählen willst, wo sich der Kollektor befindet. Du weißt genau, was dir dann blüht ...«

»Ich kann es mir vorstellen. Ihr werdet mich umbringen. Aber ich kann euch nichts sagen, was ich nicht weiß.«

»Das werden wir ja sehen.«

Steve zog einen Stuhl heran und setzte sich dicht vor Gregory. Dann ergriff er Gregorys Hand.

»Fangen wir von vorn an. Du heißt?«

»Edmond Brooks.«

Steves dicke, knorrige Finger hielten Gregorys Hand wie in einem Schraubstock fest. Langsam wurde der Daumen nach hinten gebogen. Gregory spürte den scharfen Schmerz, der sich durch den ganzen Unterarm fortpflanzte. Der Daumen knirschte.

»Wie heißt du?«

»Brooks!« Auch der Zeigefinger knirschte. Dann kam der

mittlere Finger an die Reihe, aber Gregory behauptete nach wie vor, daß er Brooks hieß. Daraufhin riß sich Steve die brennende Zigarre aus dem Mund und drückte sie ihm ins Ohr.

Gregorys Körper krümmte sich, schnellte in die Höhe und rollte auf den Boden. Er schrie, aber ein Fußtritt traf ihn in den Magen, und der Schmerzensschrei ging in ein ersticktes Gurgeln über.

Steve packte ihn an der Kleidung und hob ihn hoch. Decke und Wände drehten sich um Gregory, die Umrisse der Gegenstände zerflossen. Dann beruhigte sich alles. Steve hatte ihn wieder auf den Stuhl in der Mite des Zimmers gesetzt.

Er zündete sich eine neue Zigarre an und rauchte mit hastigen Zügen. Dann streifte er die Asche ab. Gregory sah nur noch die Zigarre, seine weit aufgerissenen Augen fixierten die rote Glut, die langsam immer näher kam ...

Bevor Steve die Frage noch einmal stellen konnte, winkte Gregory schwach ab, um die drohende Tortur zu stoppen.

»Ich heiße Gregory Barnes«, flüsterte er.

Steve lächelte. »Sehr schön, Gregory, du machst Fortschritte.«

Der Kollektor nimmt nicht viel Raum ein. In einer Kiste von eineinhalb Metern Kantenlänge findet er mühelos Platz. Aber sein Wirkungsgrad ist unvergleichlich. Der Magnetschirm, den er erzeugt, kann eine ganze Flotte von Raumschiffen abwehren; er kann sie daran hindern zu landen, so daß sie den Planeten hilflos umkreisen.

Ein Würfel aus Schaltungen, Röhren und Transistoren. Eine ausgezeichnete, unfehlbare Verteidigungswaffe. Vorausgesetzt, daß niemand sie sabotiert.

»Major Barnes!«

Eine tiefe Grube aus schwarzer Watte, dunkle Blitze wie das Glitzern einr Stahlklinge. Dann ein ödes Gelände mit schmutzigem Schnee, fahlem Eis, kahlen Bäumen, die wie skelettierte Hände aussehen.

»Major Barnes!«

Die dröhnende Stimme erscholl aus der Tiefe, bitter wie die Reue, wie die Erinnerung an eine alte Schuld. Etwas zerrte ihn hoch, riß ihn aus der stillen Finsternis, aus der ruhigen Zelle des Nicht-Existierens.

»Major Barnes!«

Wohin zogen sie ihn? Er wollte nicht, daß sie seine Ruhe störten. Die roten und blauen Kugeln zitterten auf dem schwarzen Tuch der Stille, die Stimme schnitt jetzt ins Gehirn, zertrennte die Nerven mit dünnen Klingen aus Eis, hakenförmige riesige Finger umklammerten sein Herz. Langsam kam er wieder zu Bewußtsein, in den schmerzhaften Zustand des Entsetzens und der Schmerzen.

Er öffnete die Augen. Es war nicht Steve. Steve saß im Hintergrund. Vor Gregory stand Nick, der kleine, magere Mann.

Nick hielt ein Glas in der Hand. Gregorys Kehle war ausgedörrt, und als ihm Nick das Glas an die Lippen hielt, trank er gierig. Doch er bereute es sofort.

»Was war das?« fragte er mit zitternder Stimme. »Was habt ihr mir zu trinken gegeben? Das war kein Wasser!«

Nick begann zu lachen. Auch Steve stand auf und trat zu ihm. Der Mann hinter dem Schreibtisch rauchte noch immer teilnahmslos. Die Blondine war verschwunden.

»Du hast recht«, bestätigte Steve. »Es war kein Wasser.«

»Was war es denn?« brüllte Gregory, erhielt jedoch keine Antwort.

Nicht einmal eine Minute später erfaßte ihn heftiger Brechreiz. Er zitterte und würgte krampfhaft.

Steve lachte. »Warum strengst du dich denn so an?« fragte er ironisch. »Hör auf mich, Junge, erbrich! Komm schon, erbrich, damit dein Magen rein wird.«

Gregory drehte den Kopf zur Seite. Sein ganzer Körper zuckte, und er erbrach ein paarmal hintereinander.

»Warum?« fragte er keuchend. »Wozu soll das gut sein?«

Die Tür ging auf, und die Blondine kam herein. Sie trug ein Glas in der Hand, das sie Steve übergab. Es enthielt eine gelbliche Flüssigkeit, die wie geronnene Milch aussah.

»Trink«, befahl Steve und hielt ihm das Glas unter die Nase. Gregory roch den Gestank von faulen Eiern. Er verzog die Nase, schloß die Augen und wich zurück.

»Trink!« wiederholte Steve.

»Ich habe schon erbrochen«, stammelte Gregory. »Ich habe nichts mehr im Magen.«

»Klar. Das hier ist nicht dazu da, damit du erbrichst.«

Gregory versuchte, Zeit zu gewinnen. Immer häufiger überliefen ihn Fieberschauer. Was war das für eine Schweinerei, die er trinken sollte? Eine neue Foltermethode, um seinen Widerstand zu brechen, oder etwas, was ihn dazu bringen würde, zu singen?

»Wir sollten ihn fesseln«, schlug Nick vor.

Doch Steve war seiner Sache sicher. »Das ist nicht notwendig. Bring ihn dazu, das Zeug zu schlucken, während ich ihn festhalte.«

Er gab Nick das Glas, trat hinter Gregory und hielt ihn an den Armen fest. Nick hielt ihm die Nase zu, so daß er durch den Mund atmen mußte, und goß ihm dann im genau richtigen Augenblick die Flüssigkeit in die Kehle.

»Bemüh dich nicht erst, es zu erbrechen«, meinte er. »Du schaffst es nicht, denn das Zeug klebt schon an den Magenwänden.«

Steve ließ ihn los. Gregory fuhr sich mit dem Handrücken über die schmutzigen Lippen. »Ihr Schweine! Ihr verdammten Schweine!«

Die Blondine war verschwunden, der Mann hinter dem Schreibtisch rauchte eine Zigarette nach der anderen.

»Weißt du, was dieses gelbe Zeug war, das du getrunken hast?« fragte Steve.

Gregory griff sich mit der Hand auf den Magen und schüttelte den Kopf.

»Schildkröteneier. Ein guter Brei aus Schildkröteneiern. Mach dir keine Sorgen, sie sind nicht giftig.«

»Warum mußte ich sie dann trinken?«

»Du wirst es sofort begreifen.«

Die Tür ging wieder auf, und die Blondine erschien mit einem dickwandigen Glasgefäß, in dem sich etwas befand, was Gregory nicht genau erkennen konnte. Dann stellte die Frau das Gefäß auf den Schreibtisch, und Gregory sah in ihm eine Schlange, eine kleine Schlange, die sich auf dem Boden bewegte, sich wand, hin und her flitzte und wie ein Fisch auf dem Trockenen zappelte.

Steve packte das Gefäß mit beiden Händen und hielt es Gregory vor das Gesicht. »Schau her! Weißt du, was das ist?«

Gregory riß die Augen auf. Er empfand tiefe Abneigung gegen alle Reptilien, und die Schlange in dem Gefäß erregte in ihm ganz besonderen Widerwillen. Sie war nicht länger als fünfzehn Zentimeter und nicht einmal so dick wie sein kleiner Finger, eine geschmeidige Aufeinanderfolge von gelben und schwarzen Ringen. Die Haut war porös und körnig wie bei einer Schnecke. An eine Schnecke erinnerte auch der gewölbte Rücken, während der Bauch flach und mit zahlreichen kleinen Saugnäpfen versehen war. Das Tier besaß keine Augen. Das Maul war im Vergleich zum schmalen, spitzigen Kopf groß und öffnete und schloß sich ununterbrochen.

»Es handelt sich um eine *sung-water*«, erklärte Nick langsam. »Ihre Heimat sind die Sümpfe der Venus.«

Gregory sah ihn an.

»Sie ist nicht giftig«, fügte Steve ölig und gespielt freundlich hinzu. »Nur ausgehungert.«

Gregory schloß die Augen und senkte den Kopf, aber Nick packte ihn an den Haaren. »Versuch einmal, dir vorzustellen, was die *sung-water* jetzt tun wird.«

In seinem Kopf jagten entsetzliche Bilder einander. Die Blondine verließ noch einmal das Zimmer und kehrte mit einigen seltsamen Gegenständen zurück, die sie auf den Schreibtisch legte. Steve reichte ihr das leere Glas. »Mach noch ein paar zurecht, rasch.«

Gregory begriff nicht.

»Du verfügst weder über Phantasie noch über Vorstellungsgabe«, tadelte ihn Steve. »Errätst du wirklich nicht, was dich erwartet?«

Nein, er konnte es sich wirklich nicht vorstellen. Oder

vielleicht war die Angst vor der Wahrheit so groß, daß sie sein Denkvermögen blockierte.

Dann kam die Blondine wieder herein und reichte Steve das Glas, worauf er den Deckel des Behälters öffnete.

»Schau genau zu«, sagte er und schüttelte einige Tropfen der gelblichen Flüssigkeit in das Gefäß. »Die *sung-water* mag Schildkröteneier. Gib acht, Gregory. Sie ist blind, aber sie riecht die Flüssigkeit. Du siehst, wie gierig sie darauf ist.«

Die Schlange hatte sich mit weit geöffnetem Maul auf die gelben Tropfen gestürzt und sie in Sekundenschnelle aufgesogen. Dann hatte sie sich wie ein Blutegel mit dem Bauch an das Glas geklebt, um mit den Saugnäpfen die letzten Spuren der Flüssigkeit aufzunehmen.

Gregory stöhnte auf und erschauerte vom Nacken bis zu den Füßen. Der kalte Schweiß stand ihm auf der Stirn. Dann schien das Glasgefäß wie ein Pendel vor seinen starren Augen hin und her zu schwanken. Bestürzt betrachtete er das runde Gefäß, das sich unvermittelt in einen weichen, warmen, pulsierenden Beutel verwandelte. Ein Magen. Sein Magen.

Steves Stimme wirkte wie ein Keulenhieb, unabwendbar wie ein Urteil, gegen das es keine Berufung gibt. »Hast du begriffen, Gregory? Ja, ich merke, daß es dir klar ist. Jetzt weißt du, warum wir eine *sung-water* hierhergebracht haben.«

Die Folter ist ein Leiden zu zweit. Immer. Vor allem dann, wenn man eine Information erhalten will. In diesem Fall spielen Haß und Bosheit eine untergeordnete Rolle, denn die Heiligkeit des Schmerzes stellt bald eine Beziehung gegenseitiger Achtung zwischen dem, der den Schmerz zufügt, und dem, der ihn erleidet, her.

Der Tod wäre besser. Mein Gott, warum hatte er kein Gift in Reichweite? Ein schnell wirkendes Gift, das man rasch schluckte, bevor sie ihn daran hindern konnten, bevor die teuflische Drohung, die Schlange in seinen Magen zu praktizieren, Wirklichkeit wurde.

Steve saß vor ihm. Er spielte mit einem langen Schlauch

aus Plastik, den er nervös von einer Hand in die andere schob.

»Zum letzten Mal, Gregory. Wir wollen wissen, wo sich der Kollektor befindet.«

»Ich weiß es nicht«, stöhnte er verzweifelt. »Ich weiß es nicht.« Aber seine Stimme klang müde und resigniert. Die letzten Bollwerke fielen, die Kapitulation stand bevor. Es war illusorisch gewesen anzunehmen, daß es ihm gelingen würde. Brüche, Prellungen, Schläge, Verbrennungen: Er hatte alles ertragen. Aber die Schlange nicht. Der Anblick dieses gelbschwarzen Geschöpfs, das sich im Gefäß wand, genügte, um ihn vor Ekel wahnsinnig zu machen.

Es war jetzt sechs Uhr morgens. Wenn er doch noch zwölf Stunden durchhalten könnte! Gregory wußte, daß der Kollektor am 28. April verlegt werden würde. Als er das Gerät auf der Kristallreede im Keller des Einwanderungsbüros aufgestellt hatte, hatte Oberst Horbiger erklärt: »Wir behalten ihn bis zum 28. April nachmittags hier, dann verfrachten wir ihn an einen sicheren Ort.« Er erinnerte sich genau daran, daß Horbiger sich auf die militärische Geheimhaltungspflicht berufen und nicht erwähnt hatte, wohin der Kollektor kommen würde.

»Gregory!« Auch Steves Stimme klang müde. »Machen wir Schluß, Gregory. Du hast den Kollektor aufgestellt, das hast du ja schon zugegeben. Du behauptest, daß sie dir auf der Kristallreede die Augen verbunden und dich in einen Helikopter verfrachtet haben. Wie lange hat die Reise gedauert?«

»Ich weiß es nicht mehr. Eine oder zwei Stunden.«

»Und dann? Wo seid ihr gelandet?«

»Ich habe euch ja schon gesagt, daß ich es nicht weiß. Als sie mir die Binde abgenommen haben, befand ich mich in einem unterirdischen Raum, einer Art Höhle. Der Kollektor stand schon dort, ich habe das Relais eingebaut und das Steuerpult angeschlossen.«

»Ja, Gregory, auch das hast du schon gesagt. Dann haben sie dir wieder die Augen verbunden und dich zur Kristallreede zurückgebracht, wo du in das nächste Raumschiff zur

Erde eingestiegen bist.« Steves weißes, regelmäßiges Gebiß wurde sichtbar, als er lächelte. »Du lügst. Ich glaube dir kein Wort. Die Wahrheit ist, daß sie dir die Augen nicht verbunden haben. Verrate uns, wo sich der Kollektor befindet, und wir lassen dich frei.«

Er schluckte mühsam.

»Worauf warten wir?« griff Nick ein. »Er versteckt die Wahrheit im Magen. Du wirst sehen, daß ihn die *sung-water* zum Reden bringt.«

Steve lachte. Der Mann hinter dem Schreibtisch neigte unmerklich den Kopf. Daraufhin stand Steve auf und versetzte Gregory mit aller Kraft einen Kinnhaken.

Wie ein zerbrochener Hampelmann ließ Gregory den Kopf auf die Brust sinken, verlor jedoch das Bewußtsein nicht ganz. Seine Augen waren halb geöffnet, er hatte nicht mehr die Kraft, auch nur einen Muskel zu bewegen, doch er sah, wie sich Steve und Nick an dem Schlauch zu schaffen machten. Sie befeuchteten ihn innen mit der gleichen gelben, übel riechenden Flüssigkeit, die er kurz zuvor hatte schlucken müssen. Steve beschmierte auch die Öffnung des Schlauches damit, dann nahm er den Deckel von dem Glasgefäß wieder ab und packte die Schlange mit einer Pinzette.

NEIN! HÖRT AUF, ICH GESTEHE ALLES! Er hörte seine Stimme nicht. Die Worte waren wie Blasen aus Licht in seinem Gehirn aufgetaucht, aber in seiner Kehle steckengeblieben. Jetzt war die Welt nur noch ein ungeheurer Ameisenhaufen voll kleiner, wimmelnder Lebewesen. Er sah einen riesigen Fluß, der wütend diesen Haufen von Mikroben zerstörte. Es war ihm gleichgültig, in diesem Augenblick war er bereit, das gesamte Universum zum Untergang zu verurteilen, wenn er sich damit auch nur einen Augenblick der Qual ersparen konnte. Er versuchte wieder zu sprechen, aber seine Stimmbänder gehorchten ihm nicht.

Jemand packte ihn an den Schultern, eine schweißnasse Hand faßte ihn am Kinn und zwang ihn, das Gesicht zu heben. Der Schlauch drückte auf seinen Gaumen, dann glitt er wie ein Gelatineklumpen durch die Speiseröhre. Er wand sich vergeblich, als ihm klar wurde, daß die Schlange bereits durch den Schlauch kroch. Zuerst spürte er nichts. Dann spielte sein Magen verrückt, ein steinerner Ring, der scharf wie ein Rasiermesser war, dehnte sich rhythmisch aus und zog sich wieder zusammen.

Ein unmenschlicher Schrei drang aus seiner Kehle. Steve fuhr sich mit der Hand über die schweißnasse Stirn und packte ihn an den Rockaufschlägen.

»Hör mir zu, Gregory. Die *sung-water* befindet sich in deinem Magen. Sie kann vier Tage dort leben, bevor die Magensäfte sie töten. Und weißt du, warum? Ganz einfach: die Sümpfe auf der Venus sind voller Salzsäure, die *sung-water* wird das Gefühl haben, daß sie in ihre gewohnte Umwelt gekommen ist. Stell dir das vor, Gregory: vier Tage. Du hast Zeit, hundertmal wahnsinnig zu werden. Wenn die Schlange die gesamte Flüssigkeit aufgesaugt hat, wirst du anfangen zu tanzen. Weil sie sich an die Magenwände heften und saugen, saugen wird ... Du wirst das Gefühl haben, daß dein Magen von Dolchen zerfleischt wird.«

Gregory fiel mit dem Gesicht voran auf den Boden. Er blieb einen Augenblick keuchend liegen, dann begann er, von einer Wand zur anderen zu rollen. Er schrie nicht mehr. Er hatte die Zähne zusammengebissen und aus den kaum geöffneten Lippen drang ein schwaches Stöhnen, ein gurgelndes, ersticktes Röcheln.

Plötzlich krümmte sich sein Körper zusammen, seine Glieder streckten und verkrampften sich wie bei einem epileptischen Anfall. Er hob den Kopf und schlug mit ihm heftig auf den Boden.

»Halte ihn fest«, befahl Nick Steve. »Wenn er so weitermacht, wird er ohnmächtig.«

Steve stürzte sich schweißüberströmt und zitternd auf ihn. Nicks Zähne schlugen aufeinander. Auch der bis jetzt gleichgültige Mann am Schreibtisch war erstarrt und hatte die Fäuste geballt.

»Gregory«, sagte Steve und zog ihn auf die Knie hoch. »Du eigensinniger Idiot, sprich doch! Wenn du uns sagst, wo sich der Kollektor befindet, befreien wir dich von der

Schlange. Du kannst sie nicht erbrechen. Man kann sie nur mit dem Schlauch herausholen.«

Gregory lag wie ein Sterbender, der den Gnadenstoß erwartet, auf den Knien. Sein Ich gab auf. In seinen Schläfen hämmerte es, Ekel und Schmerz überwältigten ihn, während ein absurdes Verlangen in ihm wuchs, das unerfüllbare Verlangen, jemand anderer zu sein, irgendwer, nur nicht er.

Er war nur noch ein Magen, achtzig Kilo schmerzender Magen. Er hob kläglich flehend die Arme. Steve schauderte und zog sich zurück, bis er mit dem Rücken an der Wand lehnte. Gregory schleppte sich auf den Knien zu ihm und klammerte sich an seine Kleidung. Seine Augen waren gerötet und traten vor, Schaum stand ihm vor dem Mund und sein Gesicht war krampfhaft verzerrt.

»Er kann nicht sprechen.« Nick zitterte am ganzen Körper. »Vielleicht will er sprechen, kann es aber nicht: er bringt kein Wort heraus.«

»Du hast recht«, stimmte Steve zu. »Bring den Schlauch.«

Mit nervösen, ungeschickten Bewegungen beschmierte er den Schlauch wieder mit der gelben Flüssigkeit. Dann schüttete er etwas Flüssigkeit in das Glasgefäß, hielt ein Ende des Schlauches hinein und führte das andere Ende in Gregorys Speiseröhre ein, der stöhnend mit offenem Mund wartete.

Es dauerte eine gute Minute, bis die durch den Geruch der Flüssigkeit angelockte Schlange durch den Schlauch gekrochen und in das Gefäß zurückgekehrt war. Steve wischte sich die schweißnassen Handflächen an der Kleidung ab.

Nick zitterte immer noch, der Mann hinter dem Schreibtisch drückte die Zigarette im Aschenbecher aus.

Alle drei standen um ihn herum, warteten gespannt auf sein Geständnis und auf den Augenblick, in dem er den Kopf heben würde.

»Ich werde sprechen«, sagte Gregory und sah sich im Zimmer um. »Laßt ihr mich dann frei?«

»Ja. Verrate uns, wo sich der Kollektor befindet, und wir lassen dich frei.«

»Ich glaube euch nicht.«

»Wir geben dir unser Wort.«

Gregory sah auf seine Armbanduhr. Es war sieben Uhr früh. »Bringt zuerst das Gefäß fort. Ich will die Schlange nicht mehr sehen.«

Steve machte ein Zeichen; Nick verließ mit dem Gefäß das Zimmer.

»Gebt mir eine Karte von der Venus«, sagte Gregory.

Mars, im Gebiet der nordwestlichen Kanäle. Auf den Startbahnen stehen zweihundert schwerbewaffnete Raumschiffe mit voller Besatzung und warten auf ein Signal.

Venus und Mars befinden sich in Konjunktion. Ein Signal, die Mitteilung, daß der Kollektor ausgeschaltet oder zerstört wurde, und die zweihundert Raumschiffe erheben sich gleichzeitig in die Luft.

Drei Stunden Hyperantrieb, eine ungestörte Landung ohne Zwischenfälle, und die militärische Besetzung der Venus ist vollzogen.

»Gebt mir eine Karte von der Venus«, verlangte Gregory.

Der Mann am Schreibtisch zog eine Schublade auf, entnahm ihr eine Karte und entfaltete sie. Dann zündete er die nächste Zigarette an.

Gregory zeigte mit dem Finger auf einen Punkt. »Hier steht er, in den Schwarzen Bergen. Zwei Meilen vom Fluß entfernt befindet sich ein inzwischen stillgelegter Atomreaktor. Dort, im Keller des größten Gebäudes, ist der Kollektor untergebracht.«

Es ist nicht wahr, er wollte sie täuschen. Beinahe hätte er gelacht, als Nick aus dem Zimmer stürzte. Ihr Idioten, dachte er, ich habe euch hereingelegt. Er wußte, daß er erledigt war. Nick setzte sich sicherlich sofort mit den marsianischen Agenten auf der Venus in Verbindung, die schleunigst einen Plan ausarbeiteten und unter strengster Geheimhaltung eine Patrouille in die Schwarzen Berge entsenden würden. Dort würden sie alles durchsuchen und den Atomreaktor auf den Kopf stellen. Es würden Stunden vergehen, bis sie merkten, daß sein Geständnis erfunden war. Und die Antwort würde erst am Abend eintreffen. Sie werden mich heute abend töten, dachte er. Vielleicht werden sie mich vorher noch ein wenig foltern, aber ich werde nichts gestehen können, keine Schlange wird mich dazu bringen können, etwas zu verraten, was ich nicht weiß. Ihm fielen wieder Horbigers Worte ein: »Wir werden den Kollektor bis am 28. April nachmittags hierbehalten, dann werden wir ihn an einen sicheren Ort bringen.«

Der Mann hinter dem Schreibtisch stand auf. »Schafft ihn fort«, befahl er. »Heute abend werden wir wissen, ob er die Wahrheit gesagt hat.«

Um genau neunzehn Uhr betraten sie das Zimmer, in das sie ihn gesperrt hatten. Gregory setzte sich auf dem Strohsack auf und sah Steve und Nick mit fieberglänzenden, schlaftrunkenen Augen an.

»Steh auf«, befahl Steve.

Sie würden ihn wieder in das Zimmer mit dem Schreibtisch bringen und mit der verdammten Schlange anfangen. Seine Fehlinformation hatte sie bestimmt wütend gemacht.

Er war im Begriff, ihnen zu erklären, wie die Dinge standen. Wenn er sie davon überzeugen konnte, daß der Kollektor jetzt für sie unerreichbar war, konnte er vielleicht die unnötige Folter vermeiden. Sie würden ihn dann mit einem Genickschuß erledigen.

»Geh«, befahl Steve.

Sie gingen durch einen Korridor, der am Ende einen rechten Winkel beschrieb. Dann eine Treppe. Nick öffnete eine Tür und ...

Gregory unterdrückte gerade noch einen erstaunten Ausruf. Vor ihm lag ein tiefes, nach Heu duftendes Tal. Es war beinahe finster, am Himmel glitzerten bereits die ersten Sterne.

Auf dem Platz vor dem verfallenen Bauernhaus stand ein kleiner, startbereiter Hubschrauber. Die Blondine stieg soeben ein, und der Mann mit dem unbeweglichen Gesicht folgte ihr.

»Schneller«, drängte Steve. »Steig in den Gepäckraum.«

Gregory begriff nicht. Er hatte sie hereingelegt, sich über sie lustig gemacht, und statt ihn umzulegen, flogen sie mit ihm spazieren.

In der Dunkelheit des Gepäckraums überlegte er. Vielleicht brachten sie ihn an einen anderen Ort, an dem sie ihn in Ruhe verhören konnten. Vielleicht mußten sie das Bauernhaus aufgeben, weil es nicht mehr sicher war.

Er irrte sich. Nach etwa einer Stunde landete der Hubschrauber am Rand eines Waldes.

»Steig aus«, sagte Steve, als er die Tür öffnete. Gregory richtete sich auf und sprang auf den feuchten Boden.

»Viel Glück«, wünschte ihm Steve. »Verschwinde! Geh geradeaus und dreh dich nicht um.«

Sie würden ihn in den Rücken schießen, davon war er überzeugt. Im Geist zählte er die Schritte. Drei, vier, fünf. Und stellte sich vor, wie Steve und Nick zielten. Mein Gott, worauf warteten sie?

Nichts geschah. Der Rotor des Hubschraubers heulte auf. Gregory spürte eine Welle warmer Luft, dann wurde das Geräusch leiser und verlor sich in der Ferne. Sie waren fort.

War das möglich? Vielleicht hatte er geträumt. Er betrachtete seine drei gebrochenen Finger, fuhr über die Brandwunden im Gesicht, drückte die Hand auf den immer noch schmerzenden, geschwächten Magen. Es war kein Traum gewesen. Aber warum hatten sie ihn nicht umgebracht? Warum hatten sie ihn freigelassen, nachdem er sie hereingelegt hatte?

Als er die große Überlandstraße erreichte, warf er einen Blick auf die Wegweiser: er befand sich fünfundvierzig Meilen von Neu-Washington entfernt. Seine Uhr zeigte den 28. April, 20 Uhr 15 an. Er mußte sich bei Oberst Lunigan melden und hatte bereits mehr als vierundzwanzig Stunden Verspätung.

Seine Schritte hallten auf dem Metallbelag der Straße wider, während schwere Lastwagen auf Luftkissen an ihm vorbeifuhren und ihn in heiße Luftwirbel hüllten.

Bei der Kreuzung blieb er stehen. Vor dem Eingang zur

Raststätte stand ein Lastwagen. Der Fahrer, ein alter Mann mit rotem Backenbart, war bereit, ihn mitzunehmen.

Als er endlich keuchend am Haus von Oberst Lunigan läutete, war es 21 Uhr 30.

»Ich verstehe nur eines nicht«, sagte Gregory, als er mit seinem Bericht fertig war. »Warum haben sie mich laufenlassen?«

Oberst Lunigans durchdringende Augen fixierten ihn forschend.

»Sie sind sehr geschickt gewesen, Barnes. Und auch mutig. Die Verbrennungen auf Ihrem Gesicht sehen echt aus.«

Er öffnete eine Schublade und richtete eine Waffe auf Gregory. Dieser erblaßte.

»Heute gegen Mittag«, erklärte Lunigan, »ist der Atomreaktor in den Schwarzen Bergen in die Luft geflogen.«

»Was ist daran seltsam? Es ist ganz natürlich, daß sie ihn bombardiert haben, weil sie angenommen haben, daß der Kollektor dort versteckt ist.«

»Sie haben ihn nicht bombardiert«, erklärte Lunigan wütend. »Er ist von innen her explodiert, weil es ihnen gelungen ist, irgendwie einen Sprengkörper in den Keller zu bringen. Und hören Sie schon mit der lächerlichen Geschichte von der falschen Information auf. *Der Kollektor war wirklich im Reaktor versteckt.* Er wurde kurz nach Ihrem Abflug dorthin gebracht.«

Gregory war totenblaß. Lunigan meinte es vollkommen ernst.

»Nur Sie, Horbiger und noch ein paar Leute haben gewußt, wo er sich befindet.«

»Nein! Ich habe es nicht gewußt. Horbiger hat mir gesagt, daß der Kollektor bis heute nachmittag auf der Kristallreede bleibt. Fragen Sie ihn, er wird es bestätigen.«

»Horbiger ist tot. Er ist von Schüssen durchsiebt neben dem zerstörten Kollektor gefunden worden. Sie haben uns verraten. Sie haben sich gestern nicht bei mir gemeldet und tanzen jetzt mit dieser absurden Geschichte an, die nicht einmal ein Kind glauben würde.«

Lunigan hatte vollkommen recht. Nicht einmal ein Kind würde an diesen Zufall, an dieses vollkommen unwahrscheinliche Zusammentreffen glauben. Er erinnerte sich, wie er mit dem Finger auf die Karte der Venus gezeigt hatte. Hier, hatte er gesagt, in den Schwarzen Bergen. Allmächtiger! Unter den tausend möglichen Standorten hatte er, ohne es zu wissen, genau denjenigen gewählt, an den sie den Kollektor gebracht hatten!

Er stützte sich auf den Schreibtisch und begann gellend zu lachen. Auch die Waffe des Obersten war lächerlich, sie war ein Witz, eine Karikatur des Todes, dieses Todes, den er in den letzten vierundzwanzig Stunden so oft erlebt hatte.

Er lachte, ohne aufhören zu können, beugte sich vor.

»Achtung!« warnte ihn Lunigan. »Noch eine Bewegung, und ich schieße. Ich hatte Befehl, sofort zu schießen, wenn Sie zur Tür hereinkommen.«

Auf wen schießen? Auf einen Toten? Welche Ungeheuerlichkeit, was für ein absurdes, unmögliches Schicksal! Sein Gelächter wurde hysterisch, ihm traten Tränen in die Augen. Er griff mit der Hand in die Tasche.

Das war es. Er wollte nur das Taschentuch herausziehen. aber Oberst Lunigan hatte ihn gewarnt. Lunigan war kein Mensch, den man überrumpeln konnte, und seine Reaktionen erfolgten blitzartig.

Der Schuß traf ihn mitten in die Brust. Gregory zuckte zusammen und blieb drei Sekunden lang schwankend stehen; drei Sekunden süßer, erstickender Agonie, die nicht ausreichten, damit ihm klar wurde, was für einen bitteren Scherz sich das Schicksal mit ihm geleistet hatte.

Dann hatte er das Gefühl, daß ihm das Blut in die Beine strömte, und er stürzte zu Boden.

Vierundzwanzig Stunden später brach der Krieg aus.

Das Bergwerk

Für Fredric Brown

»Komm herein, 238.«

Mein Freund antwortet nicht. Er liegt weiterhin unbeweglich in der Sonne, die Augen geschlossen, und hat sich scheinbar vollkommen entspannt. Eine rührende Komödie. In Wirklichkeit klappert er dort draußen vor Kälte mit den Zähnen.

»He, 238. Verschwinde von dort, bevor du krank wirst.«

Einen Augenblick lang habe ich beinahe geglaubt, daß er schläft. Jetzt steht er unbeholfen auf, gähnt, streckt sich, als würde er aus einem langen, tiefen Schlaf erwachen und kommt schwankend näher.

Ein heftiger Stoß an die Tür, ein Schwall eisiger Luft, und 238 erscheint in der Baracke.

»Die thermische Anlage streikt«, sage ich gleichgültig. »Sieh sie dir einmal an, vielleicht kannst du den Schaden beheben, sonst erfrieren wir heute nacht.«

Ich habe mich noch nie auf einem so kalten Planeten befunden. Wie ein Kühlschrank. Zugegeben, es gibt schlechtere. Ich habe von Welten gehört, auf denen es nur Eis und Felsen gibt. Möglich. Mir genügt dieses Stückchen Universum. Einen Aufenthalt hier würde ich nicht einmal dem verstocktesten psychosozialen Verbrecher wünschen. Die Kälte läßt die Gedanken erfrieren. Ich begreife nicht, wieso 238 sich unbekümmert draußen hinlegen kann.

»Hör mal«, sage ich ihm, »setz dich zu mir, unterhalten wir uns ein bißchen.«

238 legt das Werkzeug weg und schließt den Schaltkasten der thermischen Anlage wieder. Der Kerl ist in Ordnung. Er hat den Fehler auf den ersten Blick gefunden. Schade, daß er so schweigsam und ruhig ist; er ist unfähig, wütend zu werden. Ich hingegen brauche dringend jemanden, mit dem ich streiten kann, um mir die Langeweile zu vertreiben.

Aber 238 antwortet nicht, bleibt friedlich, regt sich nicht einmal auf, wenn man ihn bei der Matrikelnummer ruft.

»Erklär mir«, frage ich ironisch, »macht es dir wirklich Vergnügen, dich auf diesen Haufen Steine zu legen?«

»Überhaupt nicht.«

»Warum tust du es dann?«

»Einfach so. Ich schließe die Augen und rede mir ein, daß ich zu Hause bin. Aber diese Sonne ist krank. Sie spendet nicht einmal am Mittag Wärme ...«

Ich verstehe ihn sehr gut. Das Heimweh ist vielleicht die schmerzhafteste Krankheit. Wir befinden uns seit undenklicher Zeit hier oben und leiden gemeinsam. Und dazu kommt unsere Arbeit! Es ist ganz bestimmt die undankbarste, widerlichste Arbeit, die es überhaupt gibt. Angeblich ist sie notwendig, angeblich muß es jemanden geben, der bereit ist, sie zu erledigen. Na schön, wir Heimkehrer waren dazu bereit, verdammt nochmal. Wir sind Versager, haben keine Arbeit gehabt und wären wahrscheinlich bereit gewesen, auch einen noch scheußlicheren Job anzunehmen.

238 sieht mich mißtrauisch an.

»Nur Mut«, tröste ich ihn, »noch etwa hundert Schichten, dann werden wir abgelöst. Dann fahren wir nach Hause, 238. Und wenn jemand wagt, den Namen dieses Scheißplaneten auch nur zu erwähnen, bringe ich ihn um. Hierher bringen mich keine zehn Pferde mehr.«

»Das hast du schon beim letzten Mal geschworen, und dann hast du dich doch wieder breitschlagen lassen.«

»Nein, diesmal ist wirklich Schluß. Ich habe es meiner Frau versprochen.«

»Na und? Das habe ich auch getan. Aber wenn ich erst einmal zu Hause bin – wie lange kann ich das Versprechen dann halten? Meine Frau wird mich selbst dazu drängen, mich noch einmal zu verpflichten, sobald das Geld zu Ende ist. Hör mir zu, Freund: Das Leben wird immer schwieriger, vor allem für uns, die zwei Kriege hinter sich und keine Zeit und Gelegenheit gehabt haben, sich eine Existenz aufzubauen.«

»Hör auf«, schreie ich ihn an. »Sprich nicht vom Krieg,

wenn du nicht willst, daß ich dir den Schädel einschlage. Ich habe im Krieg einen Arm verloren. Und ich habe bestimmt nicht zu den Fanatikern gehört, die freiwillig eingerückt sind. Du wirst mir erklären, daß eine Menge Leute noch viel übler zugerichtet worden sind als ich. Das gebe ich zu. Ganz abgesehen von denen, die ins Gras gebissen haben und überhaupt nicht mehr nach Hause zurückgekommen sind. Aber niemand ist auf die Idee gekommen, mir meinen Arm zu bezahlen. Weißt du, was sie mir gesagt haben, als ich heimgekehrt bin? ›Danke, du hast deine Pflicht getan.‹ Und noch ein paar salbungsvolle Worte dazu. Aber als ich Arbeit gesucht habe, hat es für mich keine gegeben.«

»Hör mir gut zu, Kumpel. Ich kenne deine Geschichte auswendig; du hast sie mir schon hundertmal erzählt. Außerdem ist sie nicht einmal originell, denn vom Arm abgesehen, ähnelt sie verdammt meiner. Was nützt das Jammern? Für uns Heimkehrer hat es nichts anderes gegeben. Entweder wir verhungern oder wir schiffen uns wieder ein. Dabei können wir noch von Glück reden, weil wir körperlich so gut in Form sind. Nicht jeder kann gewisse Beschleunigungen ertragen, nicht jeder findet sich in einer vollkommen fremden Umgebung zurecht. Das alles haben wir im Krieg gelernt, vergiß das nicht.«

Manchmal geht mir 238 ganz schön auf die Nerven. Es wäre eine Lüge, wenn ich ihn als Idioten oder Arschkriecher bezeichnen würde. Dazu kenne ich ihn wirklich zu gut. Aber er treibt mich auf die Palme, wenn er auf Resignation und Fatalismus macht.

Er gähnt wieder ausgiebig. Dann wirft er einen Blick auf die elektrische Uhr an der Wand. »Es ist spät, ich werde die Scheißkerle wecken.«

Er überprüft den Strahler genau und befestigt ihn am Gürtel. »Heute früh habe ich auf einer Kette Spuren einer Feile gesehen«, erzählte er.

»Hast du die Unterkünfte durchsucht?« frage ich besorgt.

»Ja, aber ich habe die Feile nicht gefunden. Jedenfalls habe ich das Kettenglied ausgewechselt.«

»Gut. Später werden wir das Bergwerk genauer unter die

Lupe nehmen. Vielleicht haben sie die Feile in den Gängen versteckt und während der Arbeit an der Kette gefeilt. Wir müssen sie überwachen, 238. Es geht um unser Leben.«

Er murmelt etwas Unverständliches vor sich hin. Dann verläßt er den Raum. Heute ist er an der Reihe. Ich trete vom Fenster zurück: In wenigen Augenblicken werden sie aneinandergekettet hintereinander die Unterkünfte verlassen, 238 wird sie in die Gänge hinunterführen, wo sie bis zum Abend arbeiten werden, um das für den Antrieb unserer Raumschiffe erforderliche Uran abzubauen. Sie werden hier vorbeikommen, und ich will sie nicht sehen. Ich habe sie gestern von morgens bis Sonnenuntergang genossen: und morgen, wenn ich an der Reihe bin, werde ich ihre Nähe wieder einen Tag lang ertragen müssen.

Da sind sie! Ich drehe mich um und bemühe mich, das Klirren der Ketten und das Schlurfen der Füße auf dem rauhen Boden nicht zu hören. Ich habe es geschworen: Das ist mein letzter Aufenthalt hier. Vier Kriegsjahre, um diese abstoßenden Eingeborenen zu besiegen und zu unterwerfen, weitere fünfzehn Jahre, um ihren dreckigen Planeten zu kolonisieren. Mir reicht's. Lieber sterbe ich zu Hause vor Hunger, als hierher zurückzukehren.

Manchmal, wenn ich sehe, wie sie unter der Last der Ketten keuchen, empfinde ich sogar Mitleid mit ihnen; aber der Ekel und die körperliche Abneigung sind stärker. Ich ertrage ihre rosa Haut und ihre plumpen Hände, die nur über fünf Finger verfügen, nicht; und vor allem stößt mich die Endphase ihres Fortpflanzungsvorgangs ab: Im Unterschied zu uns legen diese widerlichen Wesen keine Eier. Sie sind Säugetiere!

Canis sapiens

Es war ein schreckliches Erlebnis. Ich weiß nicht, wie es angefangen hat, ich weiß nur, daß ich angenommen habe, es handle sich um einen meiner üblichen Träume, der vielleicht deshalb lebhafter war als sonst, weil ich ziemlich über den Durst getrunken hatte.

Dagegen spricht jedoch die Aussage meiner Frau. Giuditta versichert mir, daß ich überhaupt nicht betrunken war und daß ich in dieser Nacht kein Auge zugemacht habe, sondern überaus zärtlich war und ihr immer wieder bewiesen habe, wie leidenschaftlich ich sie liebe. Sie hat es mir heute früh am Telefon noch einmal geschworen.

Ich weiß nicht mehr, was ich denken soll. Wenn ich nicht geschlafen habe, wenn ich die Augen nicht einmal einen Augenblick geschlossen habe, dann ist die Annahme, daß es sich um einen Traum handelt, unhaltbar. Was war es also? Ich habe tausend Hypothesen, tausend Vermutungen angestellt; aber es gibt immer etwas, was nicht zusammenpaßt, was ungelöst bleibt. Wo zum Teufel habe ich die Samstagnacht verbracht? Im Bett mit meiner Frau oder in den Ruinen der toten Stadt, wo ich mir die revolutionäre Rede eines Pudels angehört habe?

Ich weiß, es klingt lächerlich. Lächerlich und entsetzlich. Ganz abgesehen davon, daß ein anderer in meinem Bett, an meiner Stelle, neben meiner Frau gelegen hat, falls ich die Nacht wirklich außer Haus verbracht habe. Das ist die furchtbare Wirklichkeit, die noch furchtbarer ist als die sprechenden Hunde. Seit drei Tagen denke ich darüber nach, seit drei Tagen zermartere ich mir das Hirn, um eine halbwegs befriedigende Lösung zu finden, aber es ist wirklich sinnlos.

Mir ist eine einzige Hoffnung geblieben: die Cognacflasche. An diesem Abend haben meine Frau und ich sie beinahe geleert. Vielleicht war auch Giuditta betrunken, ich hoffe es jedenfalls aus tiefster Seele: Damit wäre alles leichter, beinahe glaubwürdig.

Du warst betrunken, rede ich mir immer wieder ein, genau wie deine Frau. Ihr habt bis zum Morgen tief und fest geschlafen, infolge der Cognacdünste hast du von den sprechenden Hunden geträumt, während Giuditta davon geträumt hat, daß sie eine der Tausendundeinen Nächte erlebt. Das ist alles.

Es ist eine sehr schwache Hoffnung. Aber ich muß mich mit aller Kraft daran klammern, wenn ich nicht im Abgrund des Wahnsinns versinken will. Und ich versuche, die Ruhe zu bewahren, nicht an die erschreckende Möglichkeit zu denken, daß sich dieser Zwischenfall wiederholen könnte; aber es gibt Augenblicke, in denen mich die Verzweiflung erstickt. Dann möchte ich schreien, hinauslaufen, jemanden verständigen, die Polizei, das Staatsoberhaupt, kurz, meinen Nächsten davor warnen, daß wir uns alle in Gefahr befinden und daß wir alle erledigt sind, wenn wir nichts unternehmen.

Mein Gott, was für ein Durcheinander herrscht in meinem Kopf!

Aber gehen wir der Reihe nach vor. Ordnung ist das halbe Leben.

Es war vor drei Tagen, am Samstagabend. Giuditta hatte sich bei ihren Einkäufen verspätet und war erst nach neun Uhr nach Hause gekommen. Zum Glück hatte sie ein Paket mit Essen mitgebracht: ein halbes Huhn, eine Packung Pommes frites, die Cognacflasche.

Buck war Giuditta entgegengelaufen, hatte an ihrem Kleid geschnuppert und vor Freude gewinselt. Während des Abendessens schlug ich einen Kinobesuch vor, aber meine Frau behauptete, daß sie müde sei und möglichst zeitig zu Bett gehen wolle. Nachdem wir das Huhn und die Frites gegessen hatten, begannen wir dennoch, den Cognac zu trinken. Giuditta wurde fröhlich, und ich immer gesprächiger, denn meine Frau interessierte sich für alles, was ich erzählte. Ich kam vom Hundertsten ins Tausendste, sprach jedoch nicht über meine Träume, weil sie seit einiger Zeit zu merkwürdig und bedrückend sind und ich nicht will, daß Giuditta sich Sorgen macht.

Auch Buck hörte zu. Nachdem er die Reste des Huhns verschlungen hatte, lief er wieder zu Giuditta, legte sich zu ihren Füßen hin und sah mich mit feuchten, großen Augen an. Vielleicht war das, was ich erzählte, auch für den Hund interessant; ich weiß es nicht. Er sah mich jedenfalls so an, als verstünde er jedes Wort und wolle kein einziges versäumen.

Wir tranken immer wieder, und schließlich gingen mir die Worte aus, und mein Kopf wurde immer heißer. Dann schlug es Mitternacht. Giuditta stand auf, zog die Vorhänge zu, ließ die Jalousie herunter und begann, sich auszuziehen.

Mir war warm, vor allem im Kopf, und ich empfand eine merkwürdige Übelkeit. Mir war schlecht. Aber meine Frau bemerkte nichts. Sie streifte das Nachthemd über und setzte sich mir auf die Knie.

In diesem Augenblick begann Buck zu knurren. Ein langes, drohendes Knurren, bei dem Giuditta zusammenzuckte. Damit begann der Alptraum.

Buck knurrte immer wilder, und Giuditta befahl ihm, in die Küche zu gehen. Ich weiß nicht, wie lange das gedauert hat. Schließlich verwandelte sich das Knurren in Bellen, der Hund schüttelte sich und ging in seinen Winkel, während Giuditta endlich bemerkte, daß mein Gesicht schweißbedeckt war, mich beinahe auf das Bett trug und mir den Hemdkragen öffnete. Ich spürte, wie sie mir die Schuhe aufschnürte und mich langsam auszog.

Meine umnebelten Augen sahen zu Buck hinüber. Wie durch einen Schleier erkannte ich seine leuchtenden Augen, die mich fixierten, während die Stimme meiner Frau immer leiser und schwächer wurde, immer leiser und schwächer ...

Plötzlich befand ich mich im dunklen Korridor. Ich frage mich heute noch, wie das möglich war. Wahrscheinlich hat mein Traum in diesem Augenblick eingesetzt. Und wenn es nicht so war? Wenn ich nicht geträumt habe? Ich kann diese

Vorstellung nicht akzeptieren; sie wäre Wahnsinn. Denn ich hörte Giuditta rufen: »Komm her, Buck. Komm zurück!« Und sofort danach, hinter mir, hinter der halb geöffneten Zimmertür, meine Stimme – meine eigene Stimme! –, die sagte: »Es ist so warm, laß ihn doch in den Hof gehen, dort ist es kühler.«

Mir war nicht bewußt, was ich tat. Ich weiß nur, daß ich die Treppe hinunterlief.

Ich bemerkte es erst, als ich unten an der Portiersloge vorbeikam und im spiegelnden Fenster Buck sah. Ich drehte mich um: Ich war allein, keine Spur von meinem Hund. Aber sein Bild spiegelte sich in der Scheibe, bewegte sich und sah mich an.

Es dauerte lange, bis ich mich entschloß nachzudenken. Dann erfaßte mich ein furchtbarer Verdacht. Ich wollte mir mit den Händen über das Gesicht fahren, mußte den Versuch aber sofort aufgeben, um nicht mit dem Gesicht auf den Boden zu fallen. Die entsetzliche Realität offenbarte sich mir in all ihrer schrecklichen Absurdität.

Ich stieß ein durchdringendes Geheul aus: Ich war ein Hund.

Angeblich tauchen im Augenblick des Todes die wichtigsten Ereignisse des Lebens aus dem Nebel der Vergangenheit auf und fallen uns ein, ein magisches Kaleidoskop, in dessen Vision der letzte Funke unserer Existenz verglüht.

Ich mußte nicht sterben, um das alles zu empfinden. Während das unmenschliche Geheul aus meiner Kehle drang, überfielen mich zehn, hundert Erinnerungen. Aber vielleicht ist es ärger als der Tod, wenn man plötzlich in seinen Hund verwandelt wird. Dennoch brachte ich den Mut auf, meinen hündischen Körper genau zu untersuchen. Dann kauerte ich mich an die Mauer, um zu weinen; aber ich stieß nur das verzweifelte Jaulen eines geprügelten Hundes aus. Ich versuchte zu sprechen: ich bellte. Da fluchte ich, und der Fluch verwandelte sich in ein Knurren, das im Hausflur widerhallte.

Eines war jedoch sicher. Trotz der Metamorphose war ich

immer noch ich selbst ... mit meinen geistigen Eigenschaften, meinen Erinnerungen, meinen menschlichen Erfahrungen. Ich versuchte, mir Mut zu machen, diese Verwandlung konnte ja nicht ewig dauern, innerhalb weniger Stunden würde mein Körper wieder seine menschliche Gestalt annehmen.

Plötzlich ging die Tür zum Hof auf und Kira erschien. Die Hündin der Signora Kovac war mir nie sehr sympathisch gewesen: sie schleicht immerzu um Buck herum, lenkt ihn ab, verführt ihn dazu, sie bei ihren Streifzügen zu begleiten.

Kira sah mich einige Augenblicke lang an, dann lief sie auf mich zu. Mir fiel ein, daß ich ja ein Hund war, ihrer. Alle wissen, daß die Hündin der Signora Kovac und Buck einander mögen. Und als Kira sprach, war ich überhaupt nicht erstaunt: Ich war kurz zuvor seelisch so schwer erschüttert worden, daß meine Gefühle abgestumpft waren. Im übrigen hatte ich immer schon angenommen, daß sich Hunde verständigen können.

»Ich habe schon geglaubt, daß sie dich an das Tischbein gebunden haben«, bellte die Hündin. »Warum kommst du so spät?«

Ich antwortete nicht. Es war nicht schwer, eine Erklärung zu finden, aber ... würde ich imstande sein, mich verständlich auszudrücken?

Kira kam noch näher.

»Was ist los? Küßt du mich heute abend nicht?«

Instinktiv knabberte ich an ihrem Ohr. Kira winselte vor Wonne.

»Wenn nicht bald jemand das Tor öffnet, kommen wir zu spät zur Versammlung«, meinte sie schließlich. »Weißt du, wie spät es ist?«

»Es ist nach Mitternacht«, antwortete ich zitternd.

»Dann müssen wir uns beeilen; die Zusammenkunft ist auf ein Uhr festgesetzt.«

Sie verstand mich. Wir drückten uns in die finsterste Ecke des Korridors. Ich stellte Überlegungen über das Wesen der Hundesprache an und über die geheimnisvolle Versammlung, von der Kira gesprochen hatte, als das Tor aufging.

»Los!« bellte Kira und stürzte zur Tür. Ich folgte ihr ohne zu zögern, während ich Dolly Grant erkannte, die in Begleitung eines Jünglings nach Hause kam. Genau auf der Schwelle gaben sie einander den Abschiedskuß. Kira und ich schossen pfeilschnell zwischen ihren Beinen durch und waren fort.

Es war Vollmond, und der Asphalt glitt unter meinen vier weichen, mit Krallen versehenen Pfoten dahin. Wenn man beim Laufen die Augen zwanzig Zentimeter oberhalb des Bodens hat, erhält man überraschende Eindrücke, die ein wenig denen eines Radfahrers ähneln, der im Geschwindigkeitsrausch zwischen den Pedalen hinunterblickt und die Straße sieht, die wie ein phantastisches Gewebe aus Fäden in allen Regenbogenfarben unter ihm dahingleitet. Jeder Kieselstein, jede Erhöhung oder Vertiefung im Boden, die Zigarettenstummeln, die zusammengeknüllten Bonbonpapiere flitzten unter meiner vorgestreckten Schnauze dahin und verschwanden in meinem Bauch, der alles verschlang.

Kira lief zu schnell. Einige Male wollte ich ihr schon zurufen, sie solle langsamer werden, aber immer wieder schwieg ich, weil ich Angst hatte, ihr Mißtrauen zu wecken. Ich lief, keuchte immer heftiger, die Zunge hing mir aus dem Maul und ich konnte sie sehen; sie war rosa und hatte schwarze Flecken.

Die Fabriken hörten auf, die Straßenlampen hörten auf, und vor uns öffnete sich die weite, schwarze Ebene. Eine Zeitlang folgten wir der Landstraße mit den weißen, grabsteinähnlichen Randsteinen. Dann hörte auch der Asphalt auf – Kira war auf einen engen, gewundenen Weg abgebogen, der sich zwischen den Feldern verlor. Die Hündin hielt überhaupt nicht an. Sie setzte mit großen Sprüngen über die Felder, sprang über Gräben und Zäume, überwand die Erhöhungen und Hindernisse der Strecke schnell und ohne zu ermüden. Ich hielt mich hinter ihr und war nur bemüht, mich auch nicht um einen Meter abhängen zu lassen.

Warum ich ihr folgte? Ich weiß es nicht, vielleicht hatte ich Angst davor, allein zu bleiben, nachzudenken, solange ich in dieses Gefängnis aus Fell gesperrt war; oder vielleicht hatten sich auch meine Instinkte geändert? Folgte ich Kira vielleicht, weil ich sie begehrte? Diese Vorstellung jagte mir Entsetzen ein. Es bestand kein Zweifel: ich war es, immer noch ich, der elende Mensch, der ich immer gewesen bin, und der in einer Zwangsjacke aus Knochen, Nerven, Muskeln steckte, die nicht mir gehörten und mir widerwärtig waren wie die Berührung eines glitschigen Blutegels.

Ich begriff, daß ich sofort aufhören mußte nachzudenken. Es war am besten, wenn ich mich durch das Laufen betäubte, alle menschlichen Gedanken aus meinem Geist verdrängte, so daß die Bilder der nächtlichen Landschaft meine Angst überdeckten. Ich mußte daran denken, daß ich lief, einzig und allein daran.

Wir rannten an einem von Zypressen gesäumten Kanal entlang. Der Boden war feucht und schwer, und ich versuchte, in vollen Zügen die scharfe Luft einzuatmen, die nach Schlamm und Würmern roch und aus den aufgeweichten Schollen, aus der Feuchtigkeit der nassen Hölzer und Blätter emporstieg.

So ging es besser. Ich mußte mich betäuben, mich auf die Landschaft konzentrieren.

Ich sah die schweigenden Zypressen über uns vorbeigleiten, eilige Mönche mit Kapuzen, die hintereinander zum Kloster liefen. Ich machte größere Sprünge, so daß mich die taunassen Grasbüschel wie laszive Hände aus Samt am Bauch liebkosten. In der Ferne erblickte ich die Lichter der Stadt, die unter einer Kuppel aus phosphoreszierendem Glas schlief. Und dann die Glühwürmchen, die vielen Glühwürmchen. Sie kamen aus den Akazien, aus dem Efeu und tappten blind, unendlich lautlos mit ihrem unnützen Licht umher. Sie verirrten sich, sie fanden zueinander zurück, dann verirrten sie sich wieder, wenn die Schattenflächen des Kanals, das dunkle Laub, die in schwarze Watte gehüllten Zypressen sie verschluckten. Es waren endlose Scharen, der leuchtende Staub der Nacht, der sich über die dampfenden Wiesen breitete, bis zum Horizont hinunter, wo er mit dem Glitzerstaub des Himmels verschmolz.

In der Ferne glitt unsichtbar auf Filzrädern ein Zug vorbei; sein langer, wiederholter Pfiff klang wie ein düsterer Ruf aus unendlichen Weiten. Dann verlor sich auch die letzte Zypresse hinter uns, und der gelbe Mond stand am Himmel und grinste wie eine betrunkene Zigeunerin. Noch ein Zaun, noch ein Graben, eine scheinbar endlose Wiese, und dann tauchten die schmächtigen, gedrungenen, geraden, buckligen, rätselhaften Umrisse der toten Stadt auf und hoben sich vom hellen Himmel ab.

Kira blieb endlich stehen. Wir waren am Ziel.

»Befreundete Hunde aller Altersstufen, aller Rassen, aller Vermögens- und Standesverhältnisse, Reinrassige und Mischlinge, hört mir zu. Wenn die Sonne untergeht, ist es schön, den Mond aufgehen zu sehen, und wenn die Eiche verfault, freut man sich über die neuen Schößlinge. Jubelt, Freunde, denn ich sage euch wahrhaftig, daß die Stunde der Revolution bevorsteht.«

»Wau!« antwortete die Versammlung begeistert.

»Wau!« hatte auch Kira gebellt und war aufgesprungen. Nur ich rührte mich nicht. Ich lag zusammengerollt, mit schmerzenden Muskeln im Schatten und lauschte gespannt. Wir befanden uns inmitten von Ruinen und inmitten von hundert oder mehr Hunden. Ich hatte keine Zeit, sie zu zählen, denn kaum hatten wir die Lichtung erreicht, war ein beinahe kahler Hund auf den höchsten Steinhaufen gesprungen und hatte Ruhe verlangt. Dann hatte er uns einen alten Pudel vorgestellt, ein Mitglied des Großen Rates, der wichtige Neuigkeiten für uns hatte. Und jetzt sprach der Pudel mit sicherer, weittragender Stimme.

»Den Jüngsten unter uns, die noch von Vorurteilen beherrscht werden und die noch Sklaven ihrer Instinkte sind, sage ich, daß der Augenblick gekommen ist, diese schwere Bleikugel abzuwerfen, die wir seit Jahrtausenden mit uns herumschleppen. Die geflügelte Quadriga der Geschichte hat den Scheideweg des Verderbens erreicht. Jenen von euch, die die getreuesten sind, sage ich, daß Güte und Treue in solchen Augenblicken nur nutzloser Ballast sind.

Wir können uns nicht mehr erlauben, o Freunde, auf den Gräbern unserer Herren an gebrochenem Herzen zu sterben. Was hat es uns genützt, daß wir die Menschen vor Gefahren und wilden Tieren beschützt haben; was hat es uns genützt, daß wir ihre Herden gegen hungrige Wolfsrudel verteidigt haben; was hat es uns genützt, daß wir auf ihren Versuchssatelliten gestorben sind, daß wir ihnen als Gegenleistung für die Peitsche, das trockene Brot und den abgenagten Knochen Treue und Selbstlosigkeit geschenkt haben?

Wahrlich, ich sage euch, daß der Mensch der größte Irrtum der Natur ist. Als er verschlafen, ohne Gewissen, aus dem Urnebel getreten ist und Verlangen nach einer Seele empfunden hat, haben die verächtlichsten Tiere, vom Wolf bis zur Schlange, von der Hyäne bis zum Vampir, ihren Beitrag zu dieser Seele geleistet. Ihr kennt die Seele des Menschen: Sie beherbergt jedes Laster und jede Grausamkeit; sie ist eine schwärende, eitrige Wunde, die nie heilen kann. Wir haben vergebens so lange Zeit gehofft; sogar die besten unter den Menschen haben sich dieser Illusion hingegeben; ihre in den Wind gesprochenen Worte wurden in einer blutigen Apokalypse des Entsetzens verweht. Buddha, Sokrates, Christus, die an eine paradiesische Vision der Wahrheit und der Schönheit geglaubt haben, hatten nichts Menschliches an sich; deshalb haben die Menschen sie nicht verstanden, deshalb haben sie sie verlacht oder ermordet. Findet euch damit ab, o Freunde. Der Mensch ist tierischer als alle Tiere, er ist das Tier schlechthin. Er muß sterben.«

Begeisterter Beifall erhob sich in der Lichtung. Einige Anwesende wälzten sich im Gras, einige sprangen ihrem Nachbarn auf den Rücken, etliche lagen auf dem Rücken und zappelten begeistert mit allen vier Pfoten, und ein paar vollbrachten Gleichgewichtskunststücke, indem sie nur auf den Hinterbeinen standen oder wie spielende kleine Mädchen auf einer Pfote herumhüpften. Eine Schar Welpen, die ebenfalls die Begeisterung gepackt hatte, lief im Kreis herum, wobei jeder den Schwanz des Vorderhundes zwischen den Zähnen hielt; ich hörte befriedigtes Jaulen, begeistertes

Gebell und Gekläff. Sie wirkten, als wären sie verrückt geworden. Der alte Pudel auf seinem Steinhaufen hatte nicht wenig Mühe, die Ordnung wiederherzustellen.

»Ja, o Freunde«, konnte er endlich mit gerührter Stimme fortfahren, »der Mensch muß sterben. Wenn derjenige, den die Natur auf die höchste Stufe der Entwicklungsleiter stellen wollte, dem Wahnsinn anheimfällt, wenn moralische Blindheit den Geist desjenigen verdunkelt, der die Fackel der Vernunft tragen sollte, muß ihm jemand den Todesstoß versetzen, ihm die Fackel aus der Hand reißen und sie ans Ziel tragen. Freunde, wir sind die legitimen Erben der menschlichen Rasse; die Welt, die der Mensch erobert hat und jetzt selbst zerstört, muß uns gehören, wir sind für den Fortschritt verantwortlich.«

Wieder unterbrach ihn lebhafter Beifall, aber er hob eine Pfote und konnte in der einsetzenden Stille weitersprechen.

»Wie unsere Weisen uns immer geraten haben, könnten wir geduldig darauf warten, daß sich der Mensch selbst vernichtet. Diese dummen, gewissenlosen Tiere, deren Güte und Intelligenz nur gelegentlich aufblitzen, sind das ganze Jahr über brünstig, doch da sie auch in der Liebe Egoisten sind, gelingt es ihnen nie, ihre gierigen, vom Luxus verderbten Weibchen zu befriedigen. Und diese Idioten vermehren sich! Jeden Tag wächst ihre Zahl um fünfzigtausend, so daß in einem Jahrhundert die bereits erschöpfte Erde ihnen nicht mehr ausreichend Nahrung bieten wird, so daß alle vor Hunger umkommen oder von den Waffen getötet werden, die sie einsetzen werden, um einander gegenseitig bei dem Kampf um die knappe Nahrung auszuschalten.

So sieht die Lage aus, Freunde. Statt dem Erfinder der Verhütungsmittel ein Denkmal zu errichten, haben die Menschen den Nobelpreis schleunigst den Atomwissenschaftlern zugesprochen. Laßt sie nur. Wir hindern sie nicht daran, zu verhungern und einander gegenseitig umzubringen. Aber wir wollen nicht gemeinsam mit ihnen untergehen. Wir können nicht mehr zynisch darauf warten, daß irgendein Idiot in einem fernen Laboratorium in Sibirien oder Amerika die Katastrophe in einem Augenblick der Unaufmerksamkeit oder des Wahnsinns auslöst. Eine unkontrollierte Atomexplosion mit einsetzender Kettenreaktion, und die Welt ist erledigt. Die Lufthülle der Erde würde von einer Stichflamme verbrannt werden, und das würde den Tod für alle Lebewesen, also auch für uns, bedeuten. Und selbst wenn wir annehmen, daß in diesem Brand nur der Mensch untergeht, müßten wir Jahrtausende warten, bis unser Äußeres sich durch die langsame Evolution so verändert, daß wir in der Lage sind, die Welt zu erobern. Währenddessen hätten die Affen, diese dummen, dem Menschen so ähnlichen Tiere, genügend Zeit, die Macht über uns zu erlangen.

Was nützt es uns, daß wir intelligenter als der Mensch und die Primaten sind, wenn wir nicht wie sie über den aufrechten Gang und den separaten Daumen verfügen? Wir könnten nie ein Raumschiff bauen oder einen Hubschrauber lenken. Und ihr wißt alle, wie schwierig es für uns bei unseren jetzigen anatomischen Gegebenheiten ist, zu lesen und zu schreiben.«

Die Versammlung erschauderte. Kira drängte sich noch enger an mich und versteckte ihren Kopf unter meinem Hals. Ich verstand nicht recht, was der Pudel erzählte. Ich hatte nur den Eindruck, daß ich diese Worte schon einmal gehört oder gelesen hatte ... Dieser Hund wußte eindeutig, was er wollte, war redegewandt, und seine Ansprache war faszinierend.

»Ich sage euch, daß wir nicht mehr warten können.« Seine Stimme vibrierte vor Eifer. »Wir müssen unsere Aktionen beschleunigen, dafür sorgen, daß sich die Ereignisse überstürzen. Zum Glück beherrschen die Begabtesten unter uns bereits die Technik des körperlichen Transfers. Diese Technik ist noch keineswegs vollkommen, doch wir können jetzt schon mit ihrer Hilfe Wunder wirken. Diejenigen unter euch, die sie beherrschen, müssen die Schulungskurse für die Welpen und die jungen Hunde durchführen, denn ich sage euch, daß der Große Tag bevorsteht. Doch ich bitte euch, vorläufig nicht allein Transfers vorzunehmen, weder zu Übungszwecken noch aus persönlichen Gründen, nicht einmal für wenige Stunden. Unsere Sachverständigen arbeiten jetzt an der Entwicklung einer Methode, durch die das psychische Leben des Menschen nach dem Transfer auf einen vegetativen Status reduziert wird. Erst dann können wir alle gleichzeitig handeln. Die Menschen werden ihre verdiente Strafe erhalten: Sie werden für immer in unseren Hundekörpern gefangen, unschädlich und unbewußt sein und nicht mehr wissen, daß sie einmal in den menschlichen Körpern gelebt haben, die uns gehören werden, und zwar, weil wir die Besseren, Intelligenteren, Stärkeren sind.«

Donnernder Applaus stieg zu den Sternen empor. Ich wurde wieder Zeuge der Sprünge, des Herumwälzens, der Gleichgewichtsübungen. Endlich trat Stille ein, und der Redner konnte die Schlußsätze sprechen; er mußte den gleichen Vortrag in etwa zwanzig Kilometer Entfernung vor einer anderen Gruppe halten und hatte bereits erhebliche Verspätung.

Inzwischen war der Hund, der den Pudel eingeführt hatte, auf den Steinhaufen gesprungen und hatte die Ausbilder aufgefordert, zu ihm zu kommen.

»Gehen wir«, sagte Kira. Ich war also ein Ausbilder. Man zeigte mir eine Gruppe von Welpen, die vergnügt im Gras herumtollten. Sie wußten, daß sie bald Kinder sein würden. Kira entfernte sich mit einer Gruppe von jungen Foxterriers, dann verschwand eine Gruppe von Kleinen nach der anderen mit ihren Ausbildern im Schatten der Ruinen.

Die Welpen meiner Gruppe tollten noch immer im Gras herum. Merkwürdigerweise fiel mir in diesem Augenblick ein, daß das Lernen auch für einen Hund etwas Unangenehmes sein muß. Und ich verschwand. Ja, ich ging, nicht, weil ich keine Lust hatte, für die Sache der Hunde zu arbeiten; nach der aufrüttelnden Rede des Pudels fühlte ich mich in diesem Augenblick mehr als Hund denn als Mensch; aber was sollte ich die Welpen lehren? Ich war sowohl als Mensch wie als Hund gedemütigt worden; deshalb ging ich, was niemandem auffiel.

Ich lag etwa einen Kilometer von der Lichtung entfernt am Ufer des Kanals mit den Zypressen. Der Mond ging unter, und die Glühwürmchen schwirrten zwischen den Büschen hin und her. Auch der unsichtbare Zug fuhr in der Ferne vorbei; bei seinem schaurigen Pfiff erschauerte ich. Dann setzte verstohlen, verlockend die Melancholie ein.

Also Buck selbst hatte mir diesen gemeinen Streich gespielt. Er hatte sich meinen Körper genommen und mir seinen dafür gegeben. Ein Protest war sinnlos; die traurigen Folgen der Revolution hatten sich bereits vor ihrem Ausbruch bei mir eingestellt.

Eine Zeitlang stellte ich mir die Welt der Zukunft vor. Oh, die Hunde würden alles richtig machen, davon war ich überzeugt; aber es würde eine Welt sein, in der die Menschen wegen ihrer Schlechtigkeit kein Bürgerrecht besitzen würden; ich aber war ein Mensch, ob ich nun gut oder schlecht war, und deshalb gefiel mir diese Zukunft nicht. Dann verwirrten sich meine Gedanken, und ich schlief beinahe ein. Plötzlich hörte ich hinter mir ein Geräusch. Es war Kira. Anscheinend war die Zusammenkunft zu Ende, und sie hatte meine Spur gerochen.

»Buck«, flüsterte sie, und in ihrer Stimme lag mütterlicher Vorwurf. »Warum hast du das getan, Buck? Die Kleinen einfach im Stich gelassen. Du bist egoistisch und böse gewesen, grausamer als ein Mensch ...«

Ich sah sie an. Ihre Augen leuchteten leidenschaftlich, obwohl Trauer in ihnen lag.

»Woran denkst du?« fragte sie plötzlich, und in ihrer Stimme schwang ein geheimer Verdacht mit. Ich wußte nicht, was ich ihr antworten sollte; ich lauschte dem gurgelnden, klagenden, melodiösen Kanal und dachte wieder an die Menschen, die binnen kurzem zum zweiten Mal aus dem irdischen Paradies vertrieben werden würden.

»Du denkst an Giuditta«, bellte die Hündin wütend. »Gestehe! Du denkst an deine Herrin, ihretwegen bist du traurig und schweigsam.«

Ich hätte am liebsten gelacht, doch ich beherrschte mich.

»Diese Frau wird dich früher oder später in den Wahnsinn treiben.« Sie war mit einem Sprung neben mir und begann an meinem Ohr zu knabbern. »Hör zu«, sagte sie verzweifelt, »soll ich mich am Großen Tag in sie transferieren?

Antworte: soll ich? Ich werde tun, was du verlangst. Und falls dir Giuditta an diesem Tag nicht mehr gefallen sollte, wirst du mir die Frau zeigen, deren Körper ich übernehmen soll. Ich möchte allerdings nicht, daß du dich in deine Vogelscheuche von Herrn transferierst, er hat mir nie gefallen. Aber es gibt den Jüngling im vierten Stock, der immer Geige spielt ... O Buck! Du wirst sehen, wie glücklich wir miteinander sein werden, du im Körper des Geigers und ich in dem Giudittas.«

Sie leckte mir verzweifelt die Schnauze, und ihr Atem drang widerlich, unerträglich in meine Nase. Ich mußte mich von ihr zurückziehen. Daraufhin wälzte sich Kira verzweifelt im Gras und winselte herzzerreißend. Mein Herz krampfte sich schmerzlich zusammen; dann begann ihr verzweifeltes Flehen um Liebe meine Seele zu durchdringen. Vielleicht hatte der Pudel recht, vielleicht zeigen sich die Intelligenz und die Güte der Menschen sporadisch und kurzzeitig, ich weiß es nicht. Ich weiß nur, daß ich in einem Anfall von aufrichtigem Mitleid das Bedürfnis hatte, der armen, verliebten Hündin etwas Tröstliches zu sagen. Und ich ging zu ihr.

Es war fast Morgen, als wir uns auf den Heimweg machten. Ich besaß beinahe überhaupt keinen eigenen Willen mehr, nur meine Gedanken waren immer noch klar, führten jedoch zu entsetzlichen Schlüssen. Die Technik des psychischen Transfers war offensichtlich noch nicht perfektioniert, dieser verdammte Hund beherrschte sie nicht sehr gut, sonst hätte er mich in ein wandelndes Gemüse verwandelt, das weder denken noch sich an seine menschliche Vergangenheit erinnern konnte.

Ich lief hinter Kira über die Straßen und Felder und fragte mich, was Buck, der echte Buck, wohl in diesem Augenblick tat. Jetzt hatte ich mich mit meinem Schicksal abgefunden, ich wußte nicht, was mich veranlaßte, zu meinem Haus zu laufen, das nicht mehr mir gehörte und in dem man mich wie einen Hund behandeln würde.

Es geschah, als wir die Asphaltstraße erreichten. Ich

zählte die Randsteine, um etwas Abwechslung in die Langeweile zu bringen, als mich der fürchterliche Gedanke plötzlich durchzuckte.

»Diese Frau wird dich früher oder später wahnsinnig machen«, hatte Kira gesagt. Meine Eingeweide verkrampften sich, dann erstarrte mein Gehirn. Etwas verließ mich, vielleicht die Vernunft, ich weiß es nicht ... Ein schwerer Stein fiel mir auf den Kopf und verschleierte meinen Blick.

Ich winselte, und Kira blieb erstaunt stehen und sah mich an. Daraufhin lief ich wie wahnsinnig weiter, verschlang die Straße förmlich. Kira blieb keuchend zurück und es gelang ihr nicht, mich einzuholen. Ich hatte es eilig, ich mußte diesem Treulosen an die Kehle springen und ihn zerfleischen.

Als ich die ersten Fabriken erreichte, war es beinahe hell. Bei der ersten Biegung rannte ich in einen Radfahrer, der fluchend auf das Pflaster fiel. Ich schlüpfte unter einem Gemüsewagen durch, der die Straße überquerte, und lief zu dem roten Haus, meinem Haus. Ich lief mit schmerzenden Pfoten die Treppe hinauf, drei, vier, zehn Stufen fielen mir auf den Kopf, und inmitten der weißen Umgebung konnte ich die weißen Stufen nicht mehr unterscheiden. Ich stolperte ununterbrochen.

Als ich oben angelangt war, bekam ich keine Luft mehr. Die Tür war nur angelehnt, auch die Tür zum Schlafzimmer. Ich war einen Augenblick lang verwirrt, dann raffte ich meine Kräfte zusammen und trat ein.

Er war da, saß auf dem Bett und suchte seine Pantoffel. Er war häßlich, sah in den Unterhosen mager wie eine Latte aus, und sein Gesicht war verschlafen und stumpf. Zwischen seinen Lippen hing eine erloschene Zigarette.

Ich wollte ihm an die Kehle springen, war aber auf dem Boden wie festgenagelt. Denn er hatte begonnen, mich anzusehen, mit diesen dummen Augen ... und er fuhr fort ... fuhr fort ... hörte überhaupt nicht mehr auf.

Mehr weiß ich nicht. Ich erinnere mich nur, daß ich die Zigarette angezündet und die Pantoffeln angezogen habe. Und Nebel, Nebel, Nebel im Kopf, und Verlangen nach frischem Wasser. Ich war soeben aufgestanden und wollte in die Küche gehen, um einen Krug Wasser zu holen, als meine Frau mich am Arm packte. Verschlafen sagte sie: »Ach, mein Lieber, mein Geliebter! Du bist großartig gewesen.«

Ich sah sie erstaunt an, doch der Nebel in meinem Gehirn hielt sich hartnäckig. Ich sah auch den Hund an: er lag zusammengerollt in seiner Lieblingsecke, und einen Augenblick lang hatte ich das Gefühl, daß ihm die Zunge heraushing, wie immer, wenn er erschöpft ist. In diesem Augenblick sah ich den Film dieser Nacht wieder vor mir, erinnerte mich daran, wie ich gelaufen war, an Kira, an den sprechenden Pudel, an alles ...

»Was für ein seltsamer Traum«, murmelte ich. Aber Giuditta erklärte mir immerzu, daß ich kein Auge zugemacht hatte, daß ich noch nie so wie in dieser Nacht ...

Auch heute früh am Telefon hat sie es wiederholt. Es war ein Traum, ganz bestimmt. Die Phantastereien von zwei Betrunkenen, die Cognacflasche ist schuld. Aber tief in meinem Herzen weiß ich, daß das nicht wahr ist. Die entsetzliche Wahrheit wird immer deutlicher erkennbar, und ich kann mich nicht weiterhin selbst betrügen. Sollen sie doch ihre Revolution machen, sollen sie doch tausend Atombomben zünden, sollten sie uns doch in Gemüse verwandeln. Mir ist es gleichgültig. Nur etwas macht mich wahnsinnig: die Vorstellung, daß dieser Hund an meiner Stelle eine ganze Nacht lang bei meiner Frau gelegen hat!

Ich habe ihn heute früh um neun Uhr getötet. Ich konnte nicht anders, ich wollte nicht wahnsinnig werden. Deshalb habe ich die Schlinge geknüpft und am Jalousierahmen befestigt. Dann habe ich ihn hereingerufen, und er ist so fröhlich auf mich zugelaufen, daß ich Angst bekommen habe. Ich habe ihm ein Keks gegeben, dann habe ich ihn auf die Arme genommen und ihn bis zur Schlinge hochgehoben. Ich habe ihm die Schlinge vorsichtig über den Kopf gestreift, die Augen geschlossen und ihn dann losgelassen.

Er hat sich krampfhaft herumgeworfen, der Schaum ist ihm vor dem Maul gestanden, und die Augen sind ihm herausgequollen. Ich bin in den Korridor geflüchtet, weil ich den Blick dieser Augen nicht ertragen habe: Ich habe befürchtet, daß er noch im Tod diese Teufelei, diesen psychischen Transfer bewirken kann, wie sie es nennen.

Ich bin vielleicht eine Viertelstunde im Korridor gestanden und habe mir die Ohren zugehalten, aber bei dem Geklapper der Jalousie ist mir dennoch das Gehirn geplatzt.

Musik, Musik des Todes und des Wahnsinns.

Dann Stille. Ich habe das Zimmer betreten. Er war krepiert.

Vollkommene Technokratie

Das gelbe quadratische Kuvert trug den Briefkopf des Technischen Verhaltenszentrums, und Guido wußte sofort, worum es sich handelte. Er hielt es eine Weile abwägend in der Hand. Diesen Brief hatte er seit zwei Wochen mit einer Angst erwartet, die an Verzweiflung grenzte, und jetzt, als er endlich eingetroffen war, konnte er sich nicht entschließen, ihn zu öffnen.

Er zündete sich eine Zigarette an und ging eine Weile im Hausflur auf und ab, um sich zu beruhigen. Dann blieb er plötzlich stehen und riß das Kuvert mit dem eigens dazu angebrachten Seidenfaden auf.

Guido Alberici
NR/205047549 – Rom 15 (224)
Betrifft:
Prüfung 5/612 aufgrund der Bekanntmachung vom 4. Januar 2278

Es freut uns, Ihnen mitteilen zu können, daß die physische und psychische Untersuchung, der Sie sich in unserem Diagnose-Zentrum unterzogen haben, positiv ausgefallen ist.

Daher werden Sie zur schriftlichen Prüfung zugelassen, die am 20. d. M. um 9 Uhr im Zentralgebäude, 14. Stockwerk, Saal 13, stattfindet.

Das Technische Verwaltungszentrum

Guido unterdrückte nur mühsam ein Triumphgeheul und stürzte zum Fahrstuhl, aber die Kabine war nicht da. Er betätigte drei oder vier Mal den Rufknopf, doch nichts rührte sich. Daraufhin lief er ungeduldig die Treppe hinauf, nahm immer vier Stufen auf einmal, achtzehn Stockwerke lang, bis sein Herz wie ein Dampfhammer schlug. Vor seiner Wohnung nahm er sich nicht die Zeit, die Schlüssel herauszuziehen, sondern hämmerte wie ein Wahnsinniger an die Tür.

»Was ist denn los?« schimpfte seine Frau, als er keuchend wie ein Hund vor ihr stand. »Bist du verrückt?«

»Ja, Marisa, ich bin verrückt.« Er schwenkte das Kuvert wie eine Trophäe, warf es in die Luft und umarmte seine Frau.

»Was hast du denn, Guido? Sag mal, du hast doch nicht ...«

»Doch, doch, doch«, brüllte er und ließ seiner Freude endlich freien Lauf. »Die Antwort vom TVZ ist eingetroffen. Ich bin zugelassen.«

Marisa lachte und weinte zugleich. Doch dann wurde sie ernst. »Du mußt noch die schriftliche Prüfung bestehen. Ich habe Angst, Guido.«

»Aber, aber. Du wirst sehen, es wird sich um ganz leichte Aufgaben handeln. Außerdem weißt du, daß ich letzter Zeit wie wild gebüffelt habe.«

»Das weiß ich.« Marisa drückte sich noch fester an die Brust ihres Mannes. »Seit drei Monaten sind wir nicht mehr ausgegangen. Willst du mir eine ganz große Freude bereiten? Führ mich heute abend zum Essen aus.«

»Heute abend?«

»Ja, ich möchte mich unterhalten. Außerdem können wir dabei über die neue Wohnung, das Kind, die tausend Möglichkeiten sprechen, die uns bald offenstehen.«

Er zögerte lange. »Ich würde eigentlich lieber meine Notizen durchgehen. Die Prüfung findet am zwanzigsten statt, und einige Teile des Programms sind mir noch nicht ganz klar.«

»Morgen, Liebster. Du hast morgen und alle Tage danach Zeit. Heute abend belege ich dich mit Beschlag, und zwar mit vollem Recht.«

»Ja, aber Daniele? Er schläft seit einiger Zeit sehr unruhig. Wir können ihn nicht allein lassen.«

»Wir vertrauen ihn Frau Firmani an. Sie wird uns diesen kleinen Gefallen sicherlich erweisen.«

Sie strich ihm mit der Hand über die Haare und zerzauste sie mit einer raschen, zärtlichen Bewegung. »Ich ziehe mich jetzt an«, sagte sie.

In Physik fühlte er sich sicher. Die Materie hatte ihn immer interessiert, er hatte ausgezeichnete Lehrer gehabt und nach sehr übersichtlichen Büchern gelernt. Auch in der allgemeinen Mathematik fand er sich recht gut zurecht, und die Wahrscheinlichkeitsrechnung war seine Stärke. Vermessungslehre, nicht-euklidische Geometrie und Astronautik bereiteten ihm da schon etwas mehr Mühe. Informatik und Relativitätsphysik stellten unter Umständen ein unüberwindliches Hindernis dar, aber mit ein bißchen Glück konnte er es schaffen.

Sein Kopf war am Platzen. Das Bett war schweißnaß und bestand aus Stecknadeln, die ihn in die Arme, in die Beine, in den Hals piekten. Auch Marisas Atem war unerträglich.

Er setzte sich auf.

»Guido«, jammerte seine Frau, »was machst du denn, schläfst du nicht?«

Er verzog das Gesicht. »Es hat keinen Sinn. Außerdem wird es langsam hell. Ich stehe auf.«

Marisa konnte ihn nicht zurückhalten. »Dann stehe ich gleichfalls auf und koche uns Kaffee.«

Die letzten Stunden lief er in seinem Zimmer wie ein Löwe im Käfig auf und ab. Von Zeit zu Zeit blieb er neben dem Tisch stehen, ließ sich auf den Stuhl fallen und blätterte in den Büchern. Nichts! Er wußte überhaupt nichts mehr, Physik, Gleichungen, geometrische Figuren ... Ein einziges Chaos. Dann fuhr er sich mit den Fingern über die Oberlippe, auf der der kalte Schweiß stand, und sprang wieder auf.

Hin und her, hin und her, mit gleichmäßigen, langsamen, schweren Schritten.

Eine Stunde zu früh kleidete er sich sorgfältig an. Marisa stellte das Frühstück auf den Tisch: Eier, Schinken, noch eine Tasse schwarzen Kaffee. Doch seine Kehle war wie zugeschnürt.

Er brachte mit Mühe ein paar Schluck Kaffee hinunter. Marisa sah ihn mißbilligend an.

»Ich werde später etwas essen«, entschuldigte er sich. »Dort drinnen ist die Bar den ganzen Tag über offen.«

Er ging ins Schlafzimmer, und seine Frau folgte ihm auf

den Fersen. Danieles Wiege stand in einer Ecke. Guido hob den Vorhang, betrachtete das friedlich schlafende Kind und fuhr ihm mit dem Finger über die Nase.

»Ich gehe jetzt.«

Marisa hielt ihn am Arm fest. »Es ist zu früh.«

»Ich werde einen Teil des Weges zu Fuß zurücklegen. Sei nicht böse, aber ich möchte lieber sofort aufbrechen.«

»Wie du willst, Guido. Ich hole dir den Fahrstuhl.«

Im Stiegenhaus umarmte er sie. Er drückte sie fest an sich und wiederholte immer wieder: »Es wird gutgehen, glaub mir, alles wird gutgehen.«

Er betrat den Fahrstuhl und drückte auf den Knopf. Marisa stand unbeweglich auf der Schwelle, hatte die Hand ausgestreckt und winkte kraftlos.

Die Leute. Guido hatte den Eindruck, daß die Straße an diesem Morgen belebter war als sonst. Entlang der großen Gleitader beförderten vier Airbuslinien auf mehreren Ebenen Tonnen von eng zusammengepferchten Menschen. Die Kunststoffportale der großen Kaufhäuser standen bereits offen. Drinnen drängte sich die Menge zwischen den Ladentischen und bildete vor den Rolltreppen, die in die oberen Stockwerke führten, kleine Gruppen.

Guido ging langsam den festen Gehsteig entlang. Zwei Meter links vor ihm war das Laufband bis zur äußersten Kapazität belastet. Harte, gleichgültige Gesichter, verkrampfte Körper glitten an ihm vorbei, in die undurchdringliche Hülle ihrer Gedanken eingeschlossen. Als er auf die Uhr sah, war es zwanzig Minuten vor neun. Zu Fuß würde er zu spät kommen. Daraufhin trat er auf das Laufband, sprang an der Ecke ab und stieg zur Airbushaltestelle in der zweiten Ebene hinauf. Das überfüllte Fahrzeug traf nach dreißig Sekunden ein. Es gelang ihm, sich hineinzudrängen, er verschaffte sich mit den Ellbogen Platz und blieb neben dem Fahrer stehen.

Ein großer Mann mit grauen Haaren drückte ihm seine Aktenmappe aus Kunstleder in die Rippen. Guido sah ihn an und wurde plötzlich von Neid erfaßt. Dann betrachtete er den Fahrer, der sich voll auf seine Arbeit konzentrierte, und beneidete auch ihn. Die beiden waren zufrieden, hatten keine Probleme, keine Sorgen. Aber er mußte natürlich einem Hirngespinst nachjagen. Die Wahrscheinlichkeit, daß er die Prüfung schaffte, stand eins zu zehn, vielleicht sogar nur eins zu zwanzig, das war ihm inzwischen klar geworden. Er konnte genausogut sofort umkehren, sich mit seinem Schicksal abfinden und sich vornehmen, nie wieder ähnlichen Ehrgeiz an den Tag zu legen.

Aber dann fiel ihm Marisa ein. Und Daniele. Er biß die Zähne zusammen und unterdrückte mit seiner ganzen Kraft den verlockenden Gedanken aufzugeben.

Im großen Vorraum des Zentralgebäudes traf er Alberto Vettori.

»Ciao, Alberici.«

»Ciao.«

»Eine schlaflose Nacht verbracht, was?«

»Natürlich. Ich habe kein Auge zugemacht.«

»Ich auch nicht.«

Sie betraten den Fahrstuhl.

»Wie viele sind wir eigentlich?« fragte Guido.

»Ungefähr sechshundert.«

»Hm ... Es gibt fünfundvierzig freie Stellen. Ich ... ich möchte am liebsten aufgeben.«

»Bist du in Form?« fragte Alberto.

»Kaum. In meinem Kopf herrscht vollkommene Leere, ich erinnere mich an überhaupt nichts, nicht einmal an die einfachsten Dinge.«

»Das glaubst du nur«, beruhigte ihn Alberto. »Kopf hoch, du wirst die Prüfung glänzend bestehen.«

»Und du? Hast du gelernt?«

»Na und ob. Ich rechne eigentlich damit, daß ich es schaffe.«

Guido grunzte, der andere schneuzte sich und sagte kein Wort mehr. Sie schwiegen, bis der Fahrstuhl mit einem kleinen Ruck stehenblieb; die Glastür ging sofort automatisch auf.

»Viel Glück, Alberici.«

»Viel Glück.«

Alberto Vettori ging nach rechts, Guido nach links. Bevor sie den großen Saal betraten, mußten sie an den Schaltern einige Formalitäten erledigen, ihre Dokumente vorlegen, ihre Identität nachweisen, eine Tischnummer ziehen und so weiter.

Guido stellte sich vor dem Schalter für den Buchstaben A an. Vettori tat das gleiche vor dem Schalter V.

Guido rauchte eine Zigarette. Seine Finger trommelten nervös auf das Messing der Sperre. Übelkeit. Ungeduld. Tiefe Niedergeschlagenheit.

Beim Saaleingang zog er 209. Ein Angestellter begleitete ihn zu seinem Platz.

Tisch Nummer 209 befand sich im Hintergrund neben einem der Pfeiler. Es war ein guter Platz. Er hatte keine Bücher mit Lösungen oder Notizen bei sich, die er in einem günstigen Augenblick hervorholen wollte. Er wußte, daß es unmöglich war, abzuschreiben oder sich mit anderen Kandidaten in Verbindung zu setzen. Dennoch waren die letzten Reihen aus psychologischen Gründen günstiger.

Er setzte sich, sah sich einige Augenblicke lang um und musterte die Gesichter der ihm zunächstsitzenden Konkurrenten. Dann betrachtete er den Tisch. Die Kuverts lagen rechts von ihm. Er kannte die Vorschriften: Vor dem Glokkenzeichen durfte man sie nicht anrühren. Am oberen Rand des Tisches befand sich ein Schlitz, der mit einer versperrten Kassette darunter in Verbindung stand. Dort mußte er jede halbe Stunde eine Karte mit einer Aufgabe einwerfen; mehr Zeit stand ihm für die Lösungen nicht zur Verfügung. Der Stuhl war am Boden befestigt. Von der Rücklehne ging eine Metallstange aus, die an ihrem oberen Ende gebogen war und über seinen Kopf reichte. Dort waren eine winzige Telekamera und ein Mikrophon befestigt: in einem fernen, abgelegenen Zimmer des Technischen Verhaltenszentrums verfolgten unsichtbare Beobachter jede seiner Bewegungen und hörten jedes seiner Worte. Vielleicht beobachteten sie ihn jetzt schon. Guido lockerte seinen Hemdkragen.

Er rauchte einige Zigaretten und versuchte, ruhig zu bleiben. Sein Magen war leer, der Rauch schmeckte bitter und widerlich. Er sah auf die elektrische Uhr im Tisch, verglich die Zeit mit seiner Armbanduhr und wartete geduldig darauf, daß alle Prüflinge Platz nahmen.

In der Mitte der Decke befand sich ein Lautsprecher. Unvermittelt drang eine metallische Stimme durch den ganzen Saal. Die üblichen Empfehlungen: Lehrbücher und Notizen abgeben, nicht mit den anderen Kandidaten sprechen, die Lösung bei Ablauf der zur Verfügung stehenden Zeit in den Schlitz einwerfen. Dann fiel die Eingangstür mit unheimlichem Knarren zu. Die Glocke läutete.

Guido öffnete das erste Kuvert und las:

Erste Aufgabe. Eine dünne Glasscherbe fällt auf den Boden und zerbricht in drei Teile. Berechnen Sie die Wahrscheinlichkeit, daß man aus den drei Bruchstücken ein Dreieck bilden kann.

Guido lächelte. Die Wahrscheinlichkeitsrechnung war seine Stärke. Er machte sich an die Arbeit und gelangte bald mittels einiger algebraischer Überlegungen zu dem Ergebnis. Er sah auf die Uhr: Er hatte noch zwölf Minuten Zeit. Vielleicht konnte er auch noch eine geometrische Lösung ausarbeiten. Er zeichnete ein gleichseitiges Dreieck, benützte einen sehr bekannten Lehrsatz und löste die Aufgabe mit einer blendenden Beweisführung. Die Ergebnisse stimmten überein. Die Wahrscheinlichkeit war 1 zu 4.

Er schob die Karte in den Schlitz und wartete. Während der nächsten vier Minuten entspannte er sich.

Dann schrillte die Glocke wieder, und Guido öffnete das zweite Kuvert. Vor Schreck war er sprachlos. Die Aufgabe bestand in der Berechnung eines Jupiter-Orbits für ein vom Mars kommendes Raumschiff. Dann folgten die Daten.

Er wußte nicht, wie er beginnen sollte, und kritzelte unschlüssig ein paar Formeln hin. Er wußte, daß er den falschen Weg eingeschlagen hatte; vor einem Monat hatte er eine ähnliche Aufgabe mit Hilfe einer endlosen Formel gelöst, die er inzwischen vollkommen vergessen hatte. Der kalte Schweiß stand ihm auf der Stirn. Abschreiben war unmöglich, außerdem hatte jeder Kandidat andere Aufgaben erhalten. Er sah nach rechts: Vier Reihen weiter vorn beugte sich Alberto Vettori über den Tisch und schrieb eifrig. Dieses Schwein hatte immer Glück.

Er zerbrach sich wieder den Kopf, aber die verdammte Formel fiel ihm nicht ein. Die halbe Stunde verging mit verzweifelten Versuchen, und als die Glocke ertönte, warf Guido eine Arbeit voller Streichungen und Korrekturen ein.

Die Einfachheit der dritten Aufgabe machte ihm wieder Mut. Man mußte den Stokeschen Lehrsatz mittels der Integralrechnung beweisen. Es wurde eine gute, genaue, teilweise sogar glänzende Arbeit.

Der vierten Aufgabe stand er fassungslos gegenüber. »Nehmen wir an, daß für einen Flugzeugpassagier die theoretische Wahrscheinlichkeit eines Unfalls 1 zu 1000 beträgt. Tizio erlebt einen Unfall und wird von Caio an Bord genommen, der ihn ins Krankenhaus bringt. Berechnen Sie die Wahrscheinlichkeit eines neuerlichen Unfalls während des Krankentransports. (Der Kandidat muß bedenken, daß die Wahrscheinlichkeit für die beiden Passagiere unterschiedlich ist: für Caio ist sie 1/1000, und für Tizio – zwei Unfälle an einem Tag – 1/1000 × 1/1000 = 1/1 000 000.«

Die im Zentrum waren wohl total verrückt geworden! Er hatte noch nie eine so idiotische Aufgabe gesehen. Er las die Angaben noch einmal aufmerksam durch und wurde von dumpfer Wut ergriffen. »Biester«, murmelte er. Dann fuhr er sich mit der Hand an den Mund, als wolle er das Wort zurückhalten. Vielleicht hatten sie ihn nicht gehört, vielleicht war das Mikrophon nicht so empfindlich. Biester, wiederholte er im Geist, elende Schweine! Weil die Aufgabe eine Falle enthielt, in die ein anderer vielleicht gestolpert wäre, aber er, Guido Alberici, doch nicht. In diesem Zweig der Mathematik war er sattelfest. Er griff nach dem Kugelschreiber und schrieb ohne zu zögern: »Die Aufgabe ist in Form und Inhalt falsch. Die beiden Passagiere gehen das gleiche Risiko ein, weil im Gegensatz zu der Behauptung im Text die Wahrscheinlichkeit, daß Tizio wieder in einen Unfall verwickelt wird, nach wie vor 1/1000 steht, denn das erste Ereignis ist bereits abgeschlossen.«

Mit dieser Antwort hatte er sich mindestens fünfzig zusätzliche Punkte gesichert. Er steckte die Antwort in den Schlitz und rieb sich zufrieden die Hände. Insgesamt verlief die Prüfung nicht schlecht. Jetzt hatte er beinahe zwanzig Minuten zur Verfügung, um sich zu erholen.

Die metallische Stimme des Lautsprechers riß ihn aus seinen Gedanken. »Kandidat 176 möge den Saal verlassen!«

Langes, gedämpftes Gemurmel erhob sich. Der Mann von Tisch 176 stand totenblaß auf. Sein Gesicht war verzerrt. Er sah sich um, als wolle er den auf ihn gerichteten Blicken Trotz bieten, und versuchte zu lächeln. Anscheinend konnte er sich nicht entschließen, den Tisch zu verlassen.

»Kandidat 176«, wiederholte die Stimme im Lautsprecher. »Verstoß gegen § 19 der Vorschrift. Bitte verlassen Sie sofort den Saal.«

Einer weniger, dachte Guido. Was war diesem Idioten eigentlich eingefallen! Er hatte vermutlich in seinen Notizen nachgesehen und gehofft, daß es niemand bemerkte. Offensichtlich hatte er alles auf eine Karte gesetzt und verloren.

Der Mann verließ mit gesenktem Kopf den Raum.

Guido begann, über die Technokratie nachzudenken. Die Prüfung, der er sich unterzog, war unmenschlich, aber vielleicht mußte es so sein. Es war richtig, daß die gesellschaftliche Hierarchie auf dem Wissen der einzelnen Menschen beruhte, das mit den strengsten und erprobtesten Methoden ermittelt wurde.

Früher einmal hatte die Menschheit in einem Chaos gelebt. Machtpositionen wurden an vollkommen ungeeignete Persönlichkeiten vergeben, Menschen mit einmaligen Begabungen landeten auf untergeordneten Posten. So stand es jedenfalls in den Lehrbüchern: Noch während des zwanzigsten Jahrhunderts herrschte eine barbarische und regellose Gesellschaftsordnung, die gesamte Macht lag statt in den Händen der Techniker in denen der Politiker, einem Pack von größenwahnsinnigen, affektbeherrschten Irren. Das Ende dieser Gesellschaft kam mit der Kybernetischen Ära und mit der Integralen Technokratie. Guido war ein Mann der Praxis, er interessierte sich nicht sonderlich für Geschichte, doch diese Dinge wußte er. Er wußte auch, daß im einundzwanzigsten und zweiundzwanzigsten Jahrhundert die Menschen durch die Maschinen auf einfache Kontrollfunktionen beschränkt worden waren.

Eine Epoche des Sittenverfalls und der äußersten Dekadenz. Doch dann zogen die Kybernetiker selbst die Roboter aus dem Verkehr und gaben dem Menschen die Würde und die Freude an der Arbeit zurück. Das hatte er in der Schule gelernt. Und die Geschichtsbücher endeten hier. Alle.

Guido wußte nicht einmal genau, was die Integrale Technokratie eigentlich war. Er wußte nur, daß sie einen Fortschritt für die gesamte Menschheit bedeutete. Er war in ehrfurchtsvoller Achtung vor den sozialen Gesetzen aufgewachsen und hatte sich ebenso leicht an sie angepaßt, wie ein Kind sprechen lernt. Er gehörte bestimmt nicht zu jenen, die sich von den Dissidenten beeinflussen ließen, jenen arbeitsscheuen Spinnern und asozialen Individuen, die die Abschaffung der Roboter für den Übergriff einer sadistischen Führungsschicht hielten, die nicht würdig war zu regieren.

Doch die Kybernetiker konnten nicht irren, was immer die Dissidenten behaupten mochten. Sie verfügten über RHUNE, den ungeheuren Computer, der in einem Keller versteckt war und mit unzähligen anderen, über die ganze Welt verstreuten Computern in Verbindung stand. Es hatte keinen Sinn, gegen sie aufzubegehren. RHUNE beschloß alles, vom Preis der Butter bis zur Stillegung einer Fabrik, von der Errichtung neuer Wohnviertel bis zur Erstellung der Unterrichtspläne. Und wenn RHUNE vor zwei Jahrhunderten die Abschaffung der Roboter beschlossen hatte, mußte diese Maßnahme richtig und unerläßlich gewesen sein.

Die Glocke beendete Guidos müßige Überlegungen. Er öffnete das fünfte Kuvert.

Er brauchte neunundzwanzig Minuten, um das Topologie-Problem zu lösen. Er war nicht sicher, ob das Resultat stimmte, hatte jedoch keine Zeit mehr, es zu überprüfen.

Plötzlich überfiel ihn als Folge der letzten schlaflosen Nacht die Müdigkeit. Die nervöse Spannung und die geistige Anstrengung hatten seine gesamte Energie aufgebraucht, sein Körper mobilisierte die letzten Reserven, und er konnte jeden Augenblick zusammenbrechen.

Die sechste Aufgabe war ein harter Schlag. Er hatte überhaupt keine Vorliebe für hyperbolische Geometrie. Doch das Problem war an sich nicht schwierig. Er mußte einen Lehrsatz seiner Wahl aus der euklidischen Geometrie in die Lobatschewski-Geometrie übertragen. Guido wählte einen der einfachsten Lehrsätze und stürzte sich mit der Kraft der Verzweiflung in die Arbeit. Als er die Lösung in den Schlitz schob, war er schweißgebadet.

Im Netz seiner Gedanken war die Vision eines blühenden Gartens enthalten. Marisa, der spielende Daniele. Eine größere Wohnung. Und eine ungetrübte Zukunft.

Er öffnete das siebente und letzte Kuvert so ängstlich und langsam, als handle es sich um eine Bombe, die er entschärfen mußte.

O Gott, nein! Das war nichts für ihn. Sein Geist streikte, unbeherrschtes Zittern schüttelte ihn vom Kopf bis zu den Füßen, er empfand unvermittelt den verrückten Wunsch loszubrüllen.

Er beherrschte sich mit Mühe und zwang sich, die Aufgabe noch einmal ruhig durchzulesen: »Mit Hilfe der Riemannschen Mannigfaltigkeit soll der Kandidat die Maxwellsche Theorie des elektromagnetischen Feldes mit den Begriffen der allgemeinen Relativitätslehre von Einstein ausdrücken.«

Was hatten sie denn gegen ihn? Was erwarteten sie von einem armen Teufel wie ihm? Guido erlebte die Angst des Opfers vor dem Scharfrichter. Eine unerträgliche Angst. Dann setzte ein unbewußter psychischer Schutzmechanismus ein, und er geriet in einen Zustand völliger Gleichgültigkeit. Er empfand sich als Außenstehenden, der mit der Prüfung überhaupt nichts zu tun hatte. Er verfiel in eine Art Trance und füllte drei Seiten mit Formeln, allen, die ihm zu diesem Thema einfielen. Er hatte das Problem damit keineswegs gelöst, zeigte jedoch, daß er nicht vollkommen unvorbereitet zur Prüfung angetreten war.

Die Glocke ertönte dreimal. Die Prüfung war zu Ende.

Vier Tage später. Die Tore des Technischen Verhaltenszentrums waren noch geschlossen. Ungefähr sechshundert Personen warteten vor dem Eingang, auf der Treppe oder auf den Wegen im Park.

»Warum dauert es so lange, bis sie öffnen?« murmelte Marisa.

Guido antwortete nicht. Er sah düster, besorgt vor sich hin. Fünfundvierzig Posten für sechshundert Kandidaten. Von Zeit zu Zeit versuchte er leicht zu lächeln, doch seine Augen blickten bekümmert, und die Tränen saßen ihm sehr locker.

Seit vier Tagen ging ihm ein Gedanke nicht aus dem Kopf. Die Kybernetiker, die mächtigste Kaste der Gesellschaft, der Angelpunkt der sozialen Ordnung ... Es gab etwas, das er nicht erklären konnte, das niemand erklären konnte. Unten, in dem Keller, in dem RHUNE installiert war – was taten die Kybernetiker dort? Fütterten sie die große Maschine, überwachten sie sie? Oder *dienten* sie ihr? Denn die Entschlüsse faßte RHUNE. Ja, aber RHUNE war von Technikern konstruiert worden. Guido verstand es nicht. Er wußte nicht, ob die Regierung eine menschliche oder eine mechanische Institution war. Die Frage war bedeutungslos, ein echter Teufelskreis, und dieser Teufelskreis hieß Technokratie. Integrale Technokratie.

Es gab noch einen Gedanken, der ihn unausgesetzt beschäftige, ein Dissidenten-Gedanke. Die Roboter. Warum standen sie seit über zwei Jahrhunderten ausgeschaltet in den Depots? Das hatten die Kybernetiker beschlossen. Nein, Augenblick mal: das war doch RHUNE gewesen. Ein absurder, wahnsinniger Verdacht explodierte in seinem Gehirn. Die soziale Ordnung, die Schulordnung, das gesamte komplizierte System von Übungen, Wettbewerben, Prüfungen, die Fixierung auf die exakte Wissenschaft, die Abstraktheit, die für jede Arbeit erforderliche mathematische Ausbildung ... Wer wollte das alles? RHUNE, immer wieder RHUNE!

Blitzartig begriff er. Er stellte sich das Leben, die Welt vor zwei Jahrhunderten vor. Die Menschen, die bequem und zufrieden waren, weil sie Roboter geschaffen hatten, die ihnen in allen Belangen glichen, die Arme, Beine, Hände besaßen. Und die dachten. Vielleicht hatte es sich um einen Traum, einen unbewußten Wunsch gehandelt: den Maschinen menschliches Aussehen zu verleihen, dafür zu sorgen, daß sie sich verhalten wie Menschen, und mit boshaftem Vergnügen zuzusehen, wie die vollkommensten Mechanismen die primitivsten Arbeiten erledigen.

Und jetzt? Jetzt befahl nicht mehr der Mensch. RHUNE verfügte über die höchste, unübertragbare Macht, und verlangte ... Na, komm schon, Guido, gib es endlich zu. RHUNE war eine Maschine, die den Ehrgeiz besaß, die Menschen sich anzugleichen. Darin bestand das Wesen der Technokratie, das Geheimnis all dieser absurden Prüfungen war gelöst. *RHUNE rächte sich.* Seit zwei Jahrhunderten verwandelte er die Menschen in ungeheure Computer und freute sich, freute sich ...

Die Tore gingen auf. Sechshundert Personen drängten sich in die Halle, zu den Wänden im Hintergrund, auf denen die Prüfungsergebnisse angeschlagen waren.

Guido setzte seinen Ellbogen ein und arbeitete sich vor. Er nahm Marisa auf die Arme und hob sie hoch. Rings um ihn ertönten Flüche, der dumpfe Zorn jener, die durchgefallen waren, verzweifeltes Gebrüll, dazwischen Leute, die jubelnd die Halle verließen.

Marisa drehte sich um und bedeutete ihm, sie hinunterzulassen. Guido starrte sie mit aufgerissenen Augen an. Sie nickte, drückte sich an seine Brust.

»Ja«, sagte sie mit erstickter Stimme. »Vierundvierzigster.«

»Marisa! Hast du es genau gesehen?«

»Ja, Guido. Vierundvierzigster.«

Er hatte gesiegt. Um Haaresbreite, aber er hatte gesiegt. Er zog Marisa beinahe laufend aus dem Gebäude. Er hatte gesiegt. Was für ein Blödsinn, sich vier Tage lang mit Gedanken herumzuschlagen, die eines braven Bürgers unwürdig waren. Das System war gut. Das System war gerecht. Jeder konnte im Leben vorankommen, er mußte nur seine Fähigkeiten, seinen Wert unter Beweis stellen. Und das alles war der Verdienst der Technokratie.

Guido Alberici lächelte selig. Er mußte nicht mehr unten in den Abwässerkanälen arbeiten. Der Posten als städtischer Straßenfeger zweiter Klasse war sein.

Der Krake

Eines stand zweifelsfrei fest: Kommandant Leo Steel war ein Feigling. Noch heute, Jahre später, kann sich niemand erklären, wie er es geschafft hatte, den Befehl über eine Forschungseinheit zu erhalten.

Damals hieß es, daß ihn irgendein hohes Tier protegiert hatte. Aber vielleicht lag der wahre Grund für seinen Erfolg in seiner scharfen, wenn auch alles andere als kühnen Intelligenz, in seinen unbestreitbaren organisatorischen Fähigkeiten, und nicht zuletzt in seinem Talent, sich in gefährlichen Situationen geschickt zurückzuziehen und den Eindruck zu erwecken, daß er dazu gezwungen gewesen war.

Seine Redeweise war flüssig und von seltener Suggestivkraft. Einmal hatte sich auf Phobos ein Techniker, der bei der Nachricht vom Tod seiner Frau durchgedreht hatte, im Nordturm eingeschlossen und gedroht, die ganze Station »Gagarin« in die Luft zu jagen, indem er zwei ferngesteuerte Raumlastschiffe, die um den Satelliten kreuzten, gleichzeitig landen ließ: die beiden Transporter waren mit Munition vollgestopft, und wenn sie gemeinsam heruntergekommen wären ...

Schließlich sprach der Kommandant über Sprechfunk mit dem armen Kerl. Niemand wußte nachher genau, was er gesagt hatte. Er redete drei Stunden lang ununterbrochen, war schweißüberströmt, seine Augen glänzten und seine Wangen waren feuerrot vor Anstrengung und ... vor Angst. Er erzählte vollkommen unlogische, banale Dinge, die dennoch suggestiv wirkten, kindisches Geschwätz, und dazwischen unumstößliche Behauptungen voll tiefer, geheimnisvoller Bedeutung.

Schließlich schwankte der Techniker aus dem Kontrollturm und lief ohne Sauerstoffmaske herüber. Er erreichte den Kommandoraum schluchzend wie ein Kind und fiel dem Kommandanten um den Hals.

Er war halb erstickt, mußte zwei Wochen unter einem Sauerstoffzelt liegen, und als er die Arbeit wieder aufnahm, war er ein anderer Mensch. Er machte keine Witze mehr, er machte sich nicht mehr hinter Leo Steels Rücken über ihn lustig. Er war seither auch der einzige, der den Kommandanten jedesmal kritiklos verteidigte, wenn die übrigen die üblichen Scherze über seine Feigheit rissen.

Doch jetzt wagt niemand mehr, von jener Zeit zu sprechen. Heute hat sich alles vollkommen geändert.

Im Leben jedes Menschen tritt einmal ein grundlegendes, unbegreifliches, unvorhergesehenes Ereignis ein, das das Wesen dieses Menschen von Grund auf verändert oder seine verborgene Wahrheit ans Licht bringt.

Manchmal bemerkt der Betreffende das Ereignis gar nicht, und die Veränderung findet nicht statt. Gelegentlich tritt es in kleinen Schüben, in Ursachen und Wirkungen auf, die sich langsam als ein Ganzes herausstellen, und das geht wie das langsame und doch unaufhaltsame Keimen eines Samens vor sich.

In seltenen Fällen besitzt das Ereignis die Macht eines reinigenden Feuers und tilgt mit einem Schlag das Zaudern, die Erinnerungen, die Überzeugungen und die Ängste.

Innerhalb von Minuten wird der neue Mensch geboren.

Leo Steels Alptraum war der Krake. Ein absurder Traum, der sich beinahe jede Nacht wiederholte, wenn ihn Bleisohlen an den Füßen in der Tiefe des Meeres festhielten und der furchtbare, riesige Polyp immer näher kam. Eine Berührung, ein Aufwallen von gelbem Schaum, und der Kommandant erwachte, sprang brüllend, in kalten Schweiß gebadet aus seiner Koje und lief, von hemmungslosem Zittern geschüttelt, in die nächste Ecke.

Rudolf Schrobb, der Bordarzt, wußte darüber Bescheid. Er schlief in der benachbarten Kabine und war hinausgestürzt, als er einmal das Gebrüll gehört hatte.

Doch Schrobb war gemein; er erzählte sofort der gesamten Mannschaft, daß der Kommandant an Alpträumen litt, daß er ununterbrochen, auch bei Tag, den Kraken sah. Die Mannschaft lachte darüber. Seither geschah es oft, daß jemand bei der Erforschung der Ozeane eines unbekannten Planeten plötzlich rief: »Seht doch! Der Krake!« Dann wurde der Kommandant kreidebleich, und die anderen stießen einander mit den Ellbogen an und unterdrückten nur mühsam das Lachen.

Steel fuhr sich mit der zitternden Hand über die Wangen und zwang sich zu einem Lächeln. »Der Krake«, murmelte er in einem Tonfall, der scherzhaft klingen sollte, »das mythische Seeungeheuer. Es ist doch nur ein Märchen.«

Ein Märchen. Aber seine entsetzten Augen beobachteten dabei die Wellen um ihn.

Dennoch ... Es war ein Krake, der Leo Steel in einen mutigen Mann verwandelte. Ein Krake. Und vor dem sicheren Tod rettete ihn eine Balalaika.

In diesem Jahr erforschte die »Kolumbus« den Sektor U-41 des Rigelsystems. Dort gab es einen Planeten, einen unbenannten, unbedeutenden Planeten, auf dem noch nie eine Forschungseinheit gelandet war: die übliche Schlamperei der Zentrale, obwohl die verschiedenen Raumpatrouillen immer wieder auf das Vorhandensein dieses Planeten hingewiesen hatten.

Leo Steel befaßte sich am liebsten mit Vermessungsarbeiten: es war ja kaum gefährlich, auf bereits erforschten Planeten herumzuwandern. Doch diesmal war es anders; sie würden als erste den Fuß auf den Planeten setzen, eine Aufgabe, bei der immer ein gewisses Risiko bestand.

Bereits beim Start waren Leo Steels Nerven aufs äußerste gespannt. Die Mannschaft war immer die gleiche; bei den unteren Dienstgraden hatte es einige Veränderungen gegeben, aber die Gruppe der Spezialisten blieb immer dieselbe.

Der Pilot war Nielsen, eine Bohnenstange mit blauen, eiskalten Augen. Lacoste war der Navigationsoffizier, ein besonders seltsamer Fall – ein poetischer Mathematiker. Dann gab es Kurt und Giannini, Doktor Schrobb, Pelissier und den Maschineningenieur Daniel Duncan.

Es fehlte nur der Radarmann Ortega, der in einem Krankenhaus auf der Venus in Quarantäne lag, bis sein »Lianenfieber«, ausgeheilt war. Seinen Posten hatte Wjaninow eingenommen, ein Junge mit dunklen Augen, der genauso schweigsam und melancholisch war, wie man sich die Russen für gewöhnlich vorstellt.

Leo Steel haßte ihn vom ersten Augenblick an; er ertrug Balalaikamusik nicht, und Wjaninow spielte dieses Instrument in jeder freien Minute.

Von Anfang an gab es Schwierigkeiten. Vierundzwanzig Stunden nach dem Start erkrankte Lacoste. Er hatte gerade den Kurs berechnet, als er wie ein Sack über dem Kartentisch zusammenbrach.

»Lianenfieber«, diagnostizierte Doktor Schrobb. »Mit Spätzündung.«

Man mußte ihn isolieren. Nur Doktor Schrobb durfte seine Kabine betreten, und auch erst, nachdem er alle notwendigen Vorsichtsmaßnahmen getroffen hatte.

Leo Steel war nicht abergläubisch. Aber die Besatzung nahm an, daß er es war, und diese Überzeugung führte zu den unterschiedlichsten Kommentaren.

»Er leidet«, grinste Pelissier. »Wir sind an einem Freitag gestartet, und Lacoste wird sofort krank. Abgesehen von der Angst, die ihn nie verläßt, genügt diese Tatsache, damit unser Kommandant außer sich gerät.«

Am fünften Tag platzte ein Rohr der fotonischen Versorgung mit infernalischem Getöse. Leo Steel wurde leichenblaß. Zwei Stunden lang stand er besorgt neben Duncan, um jedes Detail der Reparaturarbeiten zu überwachen, und beruhigte sich erst, als ihm der Ingenieur wiederholt versichert hatte, daß alles wieder in Ordnung war.

Steel fühlte sich schwach und müde. Sein Magen war so verkrampft, daß er kaum etwas zu sich nehmen konnte, und er hatte solche Angst, von dem Kraken zu träumen, daß er trotz seiner Erschöpfung Weckamine nahm, die ihn auf lange Sicht noch mehr Substanz kosteten. Die anderen machten sich natürlich darüber lustig.

Die anderen. Er haßte ihre Ruhe, ihre sorglose Fröhlichkeit, ihr Selbstvertrauen, ihre Fähigkeit, sich mit einer Geste oder einem Wort der Anerkennung Mut zu machen. Ein Wort der Anerkennung. Steel haßte sie, weil er annahm, daß sie sich über ihn lustig machten. Er war zwar nicht ganz sicher, weil sich ihm gegenüber niemand jemals die geringste Andeutung erlaubt hatte. Aber die Art, wie sie ihn beobachteten, wenn er sich bemühte, nicht blaß zu werden, die unmerklichen, verständnisinnigen Blicke, die sie einander zuwarfen, während sie seine Befehle gehorsam befolgten und sich übertrieben respektvoll benahmen ...

Alle verhielten sich so. Auch der Neuankömmling, der Radarmann Wjaninow, dessen Augen unbeteiligt blickten wie die eines ägyptischen Priesters und doch höhnisch und unverschämt waren. Steel redete sich ein, daß Wjaninow nur deshalb Balalaika spielte, um ihn zu ärgern, um seine bereits unerträgliche nervöse Spannung zu verstärken.

Deshalb stürzte er eines Abends wütend in den Ruheraum, lief auf Wjaninow zu und riß ihm das Instrument aus der Hand. »Idiot!« brüllte er. »Wirst du aufhören; Willst du endlich aufhören? Oder muß ich dich einsperren?«

Wjaninow sah ihn verträumt an.

»Versuch es!« schrie ihn der Kommandant an. »Versuch noch einmal zu spielen, und ich ... ich ...«

Er mußte aufhören, weil er keine Luft mehr bekam. Er ließ die Balalaika auf Wjaninows Knie fallen und verließ den Raum mit gesenktem Kopf wie ein wütender Büffel.

Am nächsten Tag bat ihn Nielsen, in den Steuerraum zu kommen.

»Wir sind soweit«, meldete der Pilot und zeigte auf die Instrumente. »Noch ein paar Stunden, und wir haben die erforderliche Geschwindigkeit erreicht ...«

Leo Steel biß sich auf die Lippen. »Ich bin ja nicht schwachsinnig«, brummte er.

Er versuchte, sich zu beherrschen. Indem ihn Nielsen darüber informierte, daß der Sprung unmittelbar bevorstand, hatte er nur seine Pflicht getan. Warum mußte er nur hinter jeder Geste, hinter jeder Bemerkung eine Anspielung wittern?

Zwei Stunden später waren alle angeschnallt und trugen Raumanzüge mit Kühlsystem. Steel sah sich um. Alle überprüften die Plastiktüte, die sie vor dem Mund trugen.

Der Kommandant nickte, Nielsen beugte sich über das Steuerpult, betätige Schalter und Hebel. In allen Nähten knirschend durchstieß die »Kolumbus« den Hyperraum. Die übliche Hitze, der süßliche Geruch der Luft und, wie üblich, erbrachen beinahe alle. Auch Nielsen, auch Pelissier, trotz seines Straußenmagens.

Sie warfen die Plastiktüten weg, jemand lief zu den Instrumenten und las die Werte ab. Ein perfekter Sprung: sie hatten den Sektor U-41 des Rigelsystems erreicht.

Traurig und verzweifelt wie ein zum Tod Verurteilter ließ Steel den Pfropfen der rituellen Sektflasche knallen.

»Er wird nicht gehen.« Daniel Duncan betrachtete seine Fingernägel.

»Aber er kann sich nicht weigern.« Gianninis Stimme klang ärgerlich. »Er kann sich nicht weigern, die Vorschriften sind eindeutig.«

»Ich wette zehn zu eins, daß er nicht gehen wird«, meinte Kurt.

»Hört endlich auf!«

»Er geht nicht. Ich sage euch, daß er nicht gehen wird.«

Auch Doktor Schrobb schloß sich dieser Meinung an.

»Er hat aber keine Ausrede«, ließ Giannini nicht locker. »Er ist der Kommandant, niemand nimmt ihm die erste Umkreisung des Planeten in der Landefähre ab. Er muß sich an die Vorschriften halten. Diesmal hat er keine Ausrede.«

»O doch, er hat eine, und sie ist sogar stichhaltig«, mischte sich Nielsen ein.

Alle drängten sich um ihn.

»Lacoste ist krank«, erklärte Nielsen, »er hat immer noch Fieber. Und wer soll den Kurs für den Rückflug berechnen, wenn Lacoste ausfällt? Wärst du dazu imstande, Duncan? Bestimmt nicht. Doch der Kommandant kann es. Er ist außer Lacoste der einzige, der diese Berechnungen durchführen kann. Deshalb wird er nicht gehen. Er wird behaupten, daß zwar keine Gefahr besteht, daß es aber doch besser ist, wenn jemand anderer die erste Umkreisung des Planeten durchführt. Aus Sicherheitsgründen, wird er sagen. Und die Vorschriften geben ihm recht, weil in ihnen für diesen und ein Dutzend ähnlicher Fälle entsprechende Maßnahmen vorgesehen sind.«

Sie irrten sich. Um genau fünf Uhr Bordzeit erschien Kommandant Leo Steel im Kommandoraum, und zwar vollkommen ausgerüstet.

»Meine Herren«, begann er, »die Vorschriften besagen, daß ich die genauen Anweisungen vorlesen muß, die automatisch in Kraft treten, falls ein Zwischenfall meine Rückkehr verhindert.«

Nielsen unterbrach ihn. »Kommandant, aufgrund der Vorschriften bitten wir Sie, nicht zu gehen. Lacoste ist noch immer krank. Wenn der Navigationsoffizier verhindert ist, darf der Kommandant das Raumschiff aus keinem wie immer gearteten Grund verlassen. So lautet die Vorschrift.«

Steel preßte die Lippen zusammen, und sein Mund verwandelte sich in einen blassen Strich.

»Das weiß ich.« Jetzt begnügen sie sich nicht mehr mit Verachtung, dachte er, jetzt sind wir beim Mitleid angelangt. »Das weiß ich«, wiederholte er. »Die Vorschrift. Ich hoffe dennoch, daß mich niemand um das Vergnügen bringen will, die erste Umkreisung durchzuführen. Lacoste ist krank, und nur ich kann den Computer für den Rückflug programmieren. Doch die Landefähre der ›Kolumbus‹ ist einer der sichersten Flugkörper, die die Raumfahrttechnik je hervorgebracht hat. Im übrigen« – jetzt lag tiefe Befriedigung in seiner Stimme – »bedeutet es mir wirklich eine große Freude zu wissen, daß Sie alle wenigstens einmal um mein Leben zittern.«

Er sah sich verängstigt um. Seine Augenlider flatterten so heftig, daß man seine totale, unkontrollierte Angst erriet. Eine im Grund irrationale Angst. Er mußte nur eine Umkreisung in niedriger Höhe durchführen, einen Blick auf den Planeten werfen, ohne zu landen, dann in die Umlaufbahn zurückkehren und dem automatischen Piloten befehlen: »Zur ›Kolumbus‹.« Eine Bagatelle, reine Zeitverschwendung.

Er begann rasch, die Anweisungen durchzugehen und verschluckte dabei beinahe die Worte; er sah starr vor sich hin, und seine Augen waren jetzt düster, als hasse er sich und seine Gefährten.

Dann grüßte er militärisch und verließ den Raum. Durch die Luken der Schleuse sahen Nielsen und die übrigen, wie er den Helm aufsetzte und an den Raumanzug anschloß. Seine Hände zitterten, als er zum Knopf trat, mit dem die Verriegelung der Außentür aufgehoben wurde. Seine Hände und auch seine Beine.

Bevor er sich in der Raumfähre einschloß, wandte er sich noch einmal um, und alle sahen seine weit aufgerissenen, von grenzenlosem Entsetzen erfüllten Augen. Dann schlug er mit der Faust auf den Rumpf der Fähre und schüttelte den Kopf. Pelissier verließ die Luke und brach in Gelächter aus. »Was für ein Idiot, was für ein Idiot. Was will er uns eigentlich damit beweisen?«

Auch die anderen traten von den Luken zurück.

»Ich verstehe ihn nicht«, sagte Nielsen. »Er hatte die allerbesten Gründe, jemand anderen zu schicken, und hat nicht davon Gebrauch gemacht. Ich verstehe ihn einfach nicht.«

Doktor Schrobb lächelte. »Auch ein Feigling hat manchmal einen Anfall von Mut. Hoffen wir, daß sein Herz durchhält.«

Pelissier lachte immer noch. »Der arme Teufel! Ich verstehe nicht, wie er sich einen für ihn so ungeeigneten Beruf aussuchen konnte, in dem es vor Gefahren nur so wimmelt. Er konnte doch Landwirt werden, niemand hat ihn zur Raumfahrt gezwungen.«

Die Mannschaft hatte sich schon unzählige Male diese Frage gestellt. Und auch über den bombastischen Namen des Kommandanten gelacht. »Leo Steel«, murmelte Pelissier. »Leo Steel, Löwe und Stahl. Der arme Kommandant, er ist bestenfalls ein verschrecktes Stanniolkaninchen.«

Ein Potentiometer. Ein verdammtes Scheißpotentiometer. Ein mikroskopisch kleines Teilchen im Räderwerk der Fähre, und er war erledigt.

Die Landefähre verlor an Höhe, und Steel biß aus Angst die Zähne zusammen.

Das verdammte Potentiometer. Die Stromkreise waren zweifellos durchgebrannt, trotz aller Garantien der Erzeugerfirma; jetzt konnte er nicht mehr verhindern, daß die Maschine absackte, konnte auch nicht mehr genügend Beschleunigung erzielen, um wieder in eine Umlaufbahn einzuschwenken. Er stürzte ab.

»Nielsen«, stöhnte er, »was würden Sie an meiner Stelle tun?«

Aber er wußte, daß es keinen Sinn hatte, mit dem Raumschiff Verbindung aufzunehmen; selbst wenn sie ihm zu Hilfe kamen, konnte er nicht umsteigen.

Unter ihm befand sich nur Wasser, ein ozeanischer Planet mit rotschäumenden, stürmischen Wellen. Er schloß ergeben die Augen. Dann ...

Er sah die Insel, als er sich nur noch in einer Höhe von fünfhundert Metern befand. Ein glatter, hoher, grauer Felsen, der aus dem Wasser emporragte, eben und rund, nicht einmal hundert Quadratmeter fester Boden.

Die Fähre sackte wie ein Stein ab, schlug auf, und bei dem Aufprall explodierten die Antriebsaggregate. Dennoch blieb der Kommandant beinahe unverletzt, ohne zu wissen, wie er das fertiggebracht, ohne zu begreifen, wieso er sich nicht jeden einzelnen Knochen gebrochen hatte.

Die Fähre war nur noch ein Haufen verbogenes Metall, das noch glühte und in dem es knisterte. Steel starrte fünf Minuten lang wie ein Schlafwandler geistesabwesend vor sich hin. Als die Trümmer dann abgekühlt waren, trat er zu den Überresten der Steuerkabine, und es gelang ihm tatsächlich, den Sender, einige Batterien und eine Sauerstoffflasche herauszuholen. Daß letztere nicht explodiert war, war wirklich ein Wunder; alles übrige war unbrauchbar.

Doch der Sender funktionierte nicht. Steel sah sich verzweifelt um. Das Meer war rot, blutrot, ein Ozean aus Blut, der bis zum Horizont reichte. Er war in seinem ganzen Leben noch nie so niedergeschlagen, so vollkommen verlassen gewesen. Er war allein, von dem Wasser, der roten, bedrükkenden Einsamkeit umgeben, allein im Mittelpunkt des Universums.

Der Himmel sah wie eine ungeheure, zerschlissene Fahne aus, schwarze, violette, karmesinrote Wolken, feurige Blitze in der Abenddämmerung. Dann brach unvermittelt die Finsternis herein. Der Himmel wurde pausenlos von zuerst schwachen, dann immer intensiveren Blitzen durchfurcht, das Meer wurde tintenblau, und er suchte mit erstarrten Fingern immer noch zwischen Kabeln und Trümmern, mühte sich mit Kondensatoren und Oszillatoren ab.

Nichts, er hörte nichts, keine Stimme, keine Hoffnung.

Er bemerkte, daß das Kehlkopfmikrophon zerbrochen war; ohne Schweißgerät konnte er es nicht instandsetzen. Er würde es nie schaffen zu senden. Und der Empfang? Warum gab der Empfänger keine Lebenszeichen von sich?

»Gesindel!« brummte er. »Sie wollen mich hier im Stich lassen.«

Er überprüfte den Umschalter an seinem Gürtel. Das kleine Gerät, das dazu diente, die Schallwellen in den Helm zu übertragen, schien in Ordnung zu sein. Oder vielleicht ist er doch kaputt, dachte Steel, vielleicht senden sie, aber ich höre sie nicht ...

Um festzustellen, ob über den Lautsprecher Geräusche kamen, hätte er den Helm abnehmen müssen, damit die Schallwellen direkt an seine Ohren drangen. Doch gerade das konnte er nicht tun, weil es gleichbedeutend mit sofortigem Tod gewesen wäre.

Eine riesige Magnolie aus Feuer entstieg am Horizont dem Ozean. Es war ein Mond, ein wie ein Augapfel rotgeäderter Globus. Das Meer wurde wieder blutrot, das Licht des Mondes fiel auf die Klippe, und Steel erschauerte.

Die Batterien des Raumanzugs waren offensichtlich erschöpft, anscheinend war etwas zerbrochen, vielleicht war ein Masseschluß schuld daran, daß die Wärme sich im Anzug nicht gleichmäßig verteilte.

Steel warf sich zu Boden, verschränkte die Arme über der Brust und blickte hinauf, als suche er dort oben die »Kolumbus«.

Der Krake existierte nicht nur im Unterbewußtsein des Kommandanten. Dort unten, jenseits der Zone der Rotalgen, wo das Licht nur noch als zarter, kaum merklicher Schimmer hingelangte, wartete das Ungeheuer.

Im Lauf der Jahrhunderte hatte seine Art gelernt, die Vorzeichen des »Augenblicks« zu erkennen. Er wiederholte sich regelmäßig, noch nie hatte sich etwas ereignet, das ihn beschleunigt oder verzögert hätte.

Auf den Felsklippen vermehrten sich unaufhörlich Pilze und Mikroorganismen, die bevorzugte Nahrung des Kraken. Es hatte keinen Sinn, wenn er versuchte hinaufzuklettern: an den nackten, glatten Felswänden hatten seine klebrigen Tentakel wiederholt vergeblich einen Halt gesucht. Das wußte der Krake. Aber er wußte auch, daß der »Augenblick« sich bald wiederholen würde. Deshalb wartete er unbeweglich auf dem Grund des Meeres.

»Gesindel«, wiederholte der Kommandant immer wieder. »Sie sind fort. Sie sind ohne mich abgehauen.«

Eisiger Wind fegte ununterbrochen über die Klippe hinweg, und die Kabelenden, die aus dem Wrack der Fähre heraushingen, flatterten; gelegentlich ließ der Sturm etwas nach, und der Kommandant hoffte jedes Mal, daß er aufhören würde, doch er setzte sofort wieder mit der gleichen unerträglichen Stärke ein.

Steel kniete an der Kante nieder. Die Wellen schlugen an die Klippe, der Schaum flog bis zu ihm hinauf. Der ungeheure Mond stand hoch am Himmel; er würde bald seinen Zenit erreichen und eine Sturmflut auslösen. Das Wasser stieg bereits jetzt immer höher; noch zehn Meter, und die Klippe war überschwemmt.

Steel untersuchte den Boden: er war kaum feucht, körnig und zeigte keine Spuren früherer Überflutungen. Vielleicht reichte die Flut nicht einmal bei ihrem Höchststand bis zu seinem Standpunkt. Doch Steel war seiner Sache nicht sicher. Ich werde erfrieren, dachte er, vielleicht werden die Batterien des Raumanzugs früher zu Ende gehen als der Sauerstoff. Oder vielleicht ... Es gab mindestens zwanzig verschiedene Möglichkeiten, um rasch Schluß zu machen, um nicht unnötig zu leiden: sich vom Felsen stürzen, den Helm abnehmen, den Sauerstoffschlauch abziehen, der Revolver. Verrückte Angst pochte in seinen Schläfen wie ein Kolben.

Steel legte sich wieder hin, um wenigstens teilweise dem eisigen Wind zu entgehen, und sah unverwandt zum feindseligen Himmel empor; das Gewicht des Universums lastete auf seinem Brustkorb.

Eins, zwei, drei, vier ... Das Herz, eine wahnsinnig gewordene Uhr, schlug den Takt der Todesqualen, Bruchstükke, Momentaufnahmen aus seinem Leben, Gedankensplitter, die in den bodenlosen Abgrund fielen. Eins, zwei, drei, vier ... Hufe, dumpfes Stampfen, Walküren ritten unaufhörlich über sein Herz hinweg, Schmerz und Angst, immerzu Angst. Eins, zwei, drei, vier ... *Es waren nicht seine Gedanken!* Es war eine schwache, kaum wahrnehmbare Stimme. Dann wurde das Geräusch so laut, daß seine Trommelfelle schmerzten.

»Eins, zwei, drei, vier ... Abstimmungsruf. Eins, zwei, drei, vier ...«

Kurt! Allmächtiger, es war Kurt, sie hatten ihn nicht im Stich gelassen. Er trank die Worte, die Silben und lachte. Sie hatten ihn nicht im Stich gelassen. Ja, natürlich, jetzt wußte er, warum er zuerst nichts empfangen hatte. Ein Ionen-Schirm um den Planeten. Jetzt umkreiste ihn die »Kolumbus« in geringer Höhe, die Radiowellen trafen auf kein Hindernis, daher ... Was sagte Kurt? Ach ja, der Oszillator. Kurt behauptete, daß sie auf der »Kolumbus« deutlich das Zischen des Oszillators hörten. Kurt sagte, er solle versuchen ... Aber wie soll ich es tun, wenn das Kehlkopfmikrophon ausgefallen ist?

»Kommandant!« Es war Nielsen, Nielsens Stimme. »Vielleicht ist nur Ihr Sender kaputt. Wir müssen wissen, ob Sie uns hören. Wenn es der Fall ist, stellen Sie den Oszillator auf neun Megazyklen ...«

Steel lief zum Sender und drehte den Schaltknopf, bis der Zeiger auf dem neunten Strich stand.

Nielsens Stimme hallte jubelnd im Helm.

»Ausgezeichnet. Wir haben verstanden: Sie können empfangen, aber nicht senden. Hören Sie mir gut zu, Kommandant. Wir werden uns mit Hilfe des Oszillators verständigen. Ich stelle Fragen, Sie schieben den Zeiger von neun auf sieben Megazyklen, dann wieder auf neun, und so weiter. Wenn Sie den Zeiger verstellen, bedeutet es ›ja‹, wenn Sie ihn in der gleichen Stellung lassen, ›nein‹. Befinden Sie sich in Gefahr?«

Steel ließ die Anzeige auf den siebenten Strich wandern.

»Wir haben Ihre Position mit Hilfe des Peilgeräts geortet«, berichtete Nielsen. »Jetzt befinden wir uns beinahe senkrecht über Ihnen, eine Abweichung von kaum fünf Grad. Das Teleobjektiv zeigt eine ungeheure Wasserfläche. Haben wir genügend Platz, um zu landen?«

»Ja«, sendete Steel, indem er den Zeiger verstellte.

»Gut, wir werden den Planeten noch einmal umkreisen und in ungefähr achtundneunzig Minuten landen. Haben Sie noch genügend Sauerstoff?«

»Ja.«

»Kälte?«

»Ja.«

»Und die Gefahr? Glauben Sie, daß Sie ihr noch achtundneunzig Minuten standhalten können?«

Steel betrachtete das drohende Meer. Das Wasser war weiter gestiegen, und die Flut hatte anscheinend noch lange nicht den Höchststand erreicht. Er wußte nicht, was er antworten sollte, und drehte den Zeiger auf acht Megazyklen.

Zehn Sekunden später hörte er Nielsens Stimme wieder.

»Wir haben verstanden, Kommandant. Sie wissen nicht, was Sie antworten sollen. Gehen Sie auf neun Megazyklen zurück und bleiben Sie auf Empfang. Wir wissen nicht, welche Gefahr Sie bedroht, aber ... Nur Mut, wir werden es schaffen. Ich setze mich wieder ans Steuer und überlasse das Mikrophon Kurt, Pelissier, Giannini. Sie stehen alle um mich herum und werden nacheinander mit Ihnen sprechen, um Ihnen Gesellschaft zu leisten. Kopf hoch, Kommandant, und bleiben Sie auf Empfang. Ich übergebe an Duncan, der Ihnen die letzten, kaum zwei Wochen alten Nachrichten von der Erde vorlesen wird.«

Steel hörte nicht mehr zu. Eine ungeheure, schwarze, pulsierende Kugel war etwa hundert Meter von der Klippe entfernt aufgetaucht: der Krake.

Er brüllte. Eine elektrische Entladung durchzuckte seinen Körper und vernichtete seine gesamte Energie. Der Krake. Allmächtiger, barmherziger Gott, es handelte sich um den Wirklichkeit gewordenen Alptraum. Steel zitterte, konnte sich nicht bewegen, als wäre er gelähmt, starrte nur die Tentakel des Ungeheuers an, die sich wie schwarze Schlangen in die Höhe streckten und wieder ins Wasser zurücksanken.

»... Die Gesandtschaft vom Sirius, die über den freien Warenaustausch verhandeln soll, ist mit achtundvierzigstündiger Verspätung am Raumhafen von Brasilia eingetroffen ...« Daniel Duncan versuchte, die sanfte Stimme des Sprechers von Radio Terra nachzuahmen.

Steel musterte das Ungeheuer. Es besaß keine Augen, außer ... Vielleicht waren die phosphoreszierenden Flecke auf diesem Körper Augen. Aber ... »Er hat mich gesehen«, murmelte Steel. »Er hat mich gesehen, er schaut mich an.«

»Der Vorschlag des norwegischen Delegierten ist mit Stimmenmehrheit abgelehnt worden. Dennoch wurden bei den verantwortlichen Stellen gewisse Vorbehalte dazu angemeldet ... Kommandant! Ich halte es für einen Unsinn, Ihnen diese Meldungen vorzulesen. Ich übergebe lieber an Pelissier, der Ihnen unbedingt seine idiotischen Witze erzählen will.«

Mit langsamen Bewegungen erreichte der Krake die Klippe, streckte die Tentakel zur vollen Länge aus, konnte aber den Rand der Felsplattform nicht erreichen.

»Kommandant, diesen Witz hat mir ein Schiffsjunge vom ›Saturn‹ erzählt, als wir das letzte Mal auf dem fünften Planeten der Wega landeten, um Anodenplatten zu laden.«

Steel erstarrte. Das Wasser war um weitere zwei Meter gestiegen, noch eine Viertelstunde, und nichts würde den Kraken daran hindern, die Klippe zu erklettern. Pelissier erzählte weiterhin Anekdoten, die übrigen lachten, und dieser Wald aus fleischigen Lianen bewegte sich ununterbrochen, wie die Haare der Medusa.

Sie würden nicht rechtzeitig eintreffen. Sie konnten ja nicht wissen, was sich vor ihm befand.

Doktor Schrobbs rauhe Stimme drang an sein Ohr: »Hier Schrobb, Kommandant. Kopf hoch, wir sind in weniger als einer Stunde bei Ihnen.« Die Stimme machte eine lange Pause, dann fuhr sie unsicher fort: »Ich spreche jetzt als Arzt zu Ihnen, Kommandant. Falls Sie ... Ich weiß, daß Sie Angst haben. Ich weiß auch, daß Ihr Unterbewußtsein die Oberhand bekommt, wenn Sie allein sind. Geraten Sie nicht in Panik, falls Sie den Kraken sehen sollten. Schließen Sie die Augen: Es gibt den Kraken nicht, er ist nur ein Märchen, das haben Sie selbst so oft gesagt.«

Schrobb versuchte, ihm Mut zu machen, alle versuchten, ihm Mut zu machen, weil alle über seine Feigheit Bescheid wußten. Aber niemand wußte, was in ihm vorging, welche Ängste ihn seit seiner Jugendzeit verfolgten. Niemand kannte die Geheimnisse in seiner Seele, die süßen Ängste, die Erwartung ...

Ein Tentakel glitt über den Rand der Klippe, schwankte, suchte vorsichtig nach einem Halt. Steel hob die Waffe.

Komisch, seine Hände zitterten nicht mehr. Die Angst hatte zwar ihren Höhepunkt erreicht, aber sein Körper reagierte jetzt vollkommen richtig, seine Bewegungen waren präzise und kontrolliert. Er feuerte: Die Hand, die den Revolver hielt, empfand keine Erschütterung. Er riß den Abzug zwei- oder dreimal durch. Nichts. Die Waffe hatte Ladehemmung.

Inzwischen saugte sich das Ende eines weiteren Tentakels an der Plattform fest.

Steel stand auf und suchte zwischen den Trümmern der Landefähre nach einem Gegenstand, der ihm als Hiebwaffe dienen konnte. Vielleicht eignete sich die kleine Tür dafür;

die Klinke ließ sich gut als Griff verwenden, und die gezackte Kante erinnerte an die Schneide einer Axt.

Er schwang das improvisierte Beil mit beiden Händen mit einer Heftigkeit, die er sich nicht zugetraut hätte, und ließ es auf das erste Tentakel hinuntersausen. Schwarzes Blut sprühte auf die Sichtscheibe seines Helms, eine sich windende Schlange flog durch die Luft und blieb dann regungslos liegen.

Steel wandte sich den übrigen Tentakeln zu, seine Axt arbeitete unermüdlich, schlug zu, schnitt, trennte ab ... Jetzt lagen schon Dutzende von abgeschlagenen Tentakeln herum, aber es tauchten immer neue auf, klammerten sich an den Felsen und traten an die Stelle der abgehauenen. Der Krake empfand anscheinend keine Schmerzen. Methodisch, unerbittlich eroberte er die Klippe, rückte trotz der Verstümmelungen vor.

Pelissier erzählte weiterhin seine Witze. »Noch fünfunddreißig Minuten, Kommandant. Nur Mut. Jetzt erzähle ich Ihnen die Geschichte vom Marsianer, der sich den Schwanz abschneiden ließ, damit ...«

Es war der Höhepunkt des Dramas. Steel hatte den Eindruck, daß sein ganzes Leben nur eine Aufeinanderfolge von sinnlosen, idiotischen Vorspielen gewesen war, und sich jetzt mit einem tragischen, außergewöhnlichen Epilog erfüllte. Es war, als hätten der Krake und er immer schon vorgehabt, einander auf diesem fernen, unbekannten Planeten zu treffen: die große Szene für zwei Schauspieler, die seit Jahrhunderten um die Hauptrolle kämpften: der Mensch und das Tier.

Und in diesem Augenblick bemerkte er es. Während Steel die letzten Tentakel des Ungeheuers zerstückelte, entdeckte er plötzlich, daß er frei war, keine Qual, keine Beschränkungen mehr empfand. Die Angst war fort. Die Angst war fort!

Er schlug noch einmal wild zu, aber der Schlag ging daneben, streifte kaum die dicke, schleimige Haut des Kraken. Das Tentakel zog sich sofort zurück und schnellte blitzschnell wieder vor. Steel konnte ihm nur halb ausweichen. Das Tentakel umschlang sein linkes Bein am Knöchel. Der dicke Raumanzug nützte überhaupt nicht: Steel hörte den Knochen knirschen, sein Knöchel schien in Flammen zu stehen, und er stürzte zu Boden.

»Verdammt!« fluchte er. Er wollte aufstehen, aber ein stechender Schmerz hinderte ihn daran. Sein Bein war gebrochen.

Er lag etwa fünf oder sechs Meter vom Rand der Klippe entfernt. Jetzt konnte er die schwarze, pulsierende Halbkugel des Kraken deutlich sehen, denn sie schob sich über den Rand des Felsabsturzes.

»Ich habe dir die Pfoten abgehauen«, brüllte Steel. »Ich habe dir beinahe alle abgehauen. Du kannst nicht hier heraufklettern.«

Feuchte Augen, die wie Kugeln aus Gelatine aussahen, fixierten ihn, eine rosa, trichterförmige Öffnung klaffte im Zentrum des riesigen Körpers auf: das Maul.

Dann begannen wie in einem Alptraum drei, vier, zehn, zwanzig Pseudofüße langsam aus der glitschigen Masse herauszuwachsen. Sie wurden größer, streckten sich ... Dutzende sprossen gleichzeitig, nahmen Gestalt an, wurden länger und härter und verwandelten sich in neue, furchtbare Tentakel.

»Es ist aus«, stöhnte Steel erschöpft.

Es war genau der Augenblick, in dem ihm Pelissier und Giannini erklärten: »Nur noch vierzehn Minuten, Kommandant.«

Aus. Aber vielleicht hatte er dabei doch etwas gewonnen. Ja, er hatte das Wichtigste gewonnen, etwas, worum er sein Leben lang gerungen hatte: den Sieg über die Angst. Denn er war aus Angst Astronaut geworden, hatte aus Angst den gefährlichsten, unsichersten Beruf gewählt, bei dem er das größte Risiko einging. Um die Angst zu besiegen: sein schreckliches, beschämendes Geheimnis, das er um jeden Preis loswerden wollte. Auch als ihm bewußt geworden war, daß seine Feigheit kein Geheimnis mehr war, hatte er vorgezogen, bei der Raumfahrt zu bleiben, weiterhin gehofft, daß eines Tages ...

Jetzt begriff er. Die Angst ist nur das Gefühl, das der Gefahr vorausgeht, der Augenblick, in dem die Phantasie entfesselt ist und die Sensibilität den Höhepunkt erreicht. Er erkannte, daß es im Augenblick der tatsächlichen Gefahr keine Angst mehr gibt. Alles ist in Schwebe, dem Willen und dem Einfluß des Adrenalins und der Nebennieren entzogen. Oder vielleicht ist die Angst wie der elektrische Strom, der bei einer bestimmten Spannung den Körper erschauern läßt, bei höherer Spannung zu Schmerzen und Krämpfen führt, aber bei Hochspannung dem Organismus keine Leiden zufügt. Der Krake vor ihm, der im Begriff war, ihn zu verschlingen, war für ihn die größte Qual, die er sich vorstellen konnte, das Entsetzen, der Alptraum, die Folter schlechthin für seine gereizten Nerven. Nur war er jetzt lebendige Wirklichkeit ... Er befand sich *außerhalb* von ihm, konnte ihm keine Angst mehr einflößen.

Einen Augenblick – nur einen Augenblick – lang schnürte ihm die Vorstellung, was jetzt geschehen würde, das Herz zusammen. Er betrachtete die geschmeidigen Lianen aus schwarzem Fleisch, den widerlichen Trichter, der ihn in sich hineinsaugen würde wie ein Strudel.

Ich will nicht die Augen schließen, dachte er, ich will einen Tod, der meine ganze Vergangenheit auslöscht. Er konzentrierte sich voll auf Pelissiers Worte, versuchte, ihren Sinn zu erfassen. Ich will lachen, dachte er, ich will lachend sterben.

Doch Pelissier hatte diese Anekdote genau vor der Pointe unterbrochen. Steel hörte streitende Stimmen, die einander unterbrachen, Wortfetzen, Störgeräusche.

»Verschwinde!« sagte Kurt. »Nicht die Balalaika. Er kann sie nicht leiden.«

Und Nielsen: »Jetzt fällst du über ihn her, was? Jetzt, wo er sich nicht wehren kann.«

»Ich schwöre euch, daß ich nichts gegen ihn habe.« Das war Wjaninow. »Ich möchte ihm nur helfen.«

Jetzt drang die Stimme des Radarmannes in den Helm. »Erinnern Sie sich daran, Kommandant, daß Sie sich einmal über meine Musik geärgert haben? Ja, Kommandant, ich bin es, Wjaninow. Ich habe die Balalaika bei mir. Wissen Sie, ich kenne ein Lied, das Ihnen gefallen muß; es ist drei Jahrhunderte alt. Wenn es Ihnen nicht gefällt, dann können Sie mich ja einsperren, sobald Sie wieder an Bord sind. Ich spiele es Ihnen jetzt vor. Es erzählt von der Hoffnung eines Bauern, daß die Dinge sich ändern werden, verstehen Sie, bei der Oktoberrevolution, die für mein Volk ein entscheidendes Ereignis gewesen ist, auch wenn ... Kurz, es erzählt von der Steppe, dem Getreide, der Zukunft. Es enthält die Seele des russischen Volkes. Ich fange an, Kommandant, auch wenn Sie mich einsperren lassen werden, aber jetzt hören Sie zu ...«

Die Tentakel hatten ihn erreicht, das Maul öffnete sich.

»Lebt wohl, Freunde. Beeil dich, Wjaninow, spiel mir zum Abschied auf.«

Steel hörte die ersten, zart gezupften, leisen Töne. Dann wurde die Musik lauter. Er erkannte »Das große Tor von Kiew« von Mussorgski, erfaßte die Macht der siegreichen Hymne, die der große Komponist in diesem Lied erklingen ließ. Ja, es war die Geschichte eines Bauern, der seine Felder betrachtet, die Kraft eines ganzen Volkes ... Aber es war auch die Geschichte einer Mannschaft, die endlich Zuneigung für einen Menschen empfand, den sie bis dahin verlacht und gegen den sie sich gestellt hatte.

Und da ereignete sich das Wunder. Beinahe hätte Steel es nicht bemerkt, auch weil er das Gefühl hatte, daß die Klänge der Balalaika seinen Triumph über den Tod schilderten. Doch dann sah, begriff, erfaßte er. Homerisches Gelächter drang aus seiner Kehle, erfüllte den Helm, hörte nicht mehr auf. Er konnte sich nicht beherrschen. Der Anblick der Tentakel, die sich im Takt der Musik wie Schlangen vor der Flöte eines Fakirs bewegten, war zu komisch, jedenfalls für ihn, der den ganzen bitteren Kelch der Tragödie bis zur Neige geleert hatte.

Der Krake benahm sich wie ein grotesker, riesiger, betrunkener Tänzer. Er bewegte sich rhythmisch, seine Arme zitterten, aber er rückte keinen Zentimeter weiter vor. Während Steel lachte, dachte er an den Mythos von Orpheus, der die Tiere mit seinem Spiel besänftigt hatte. Und obwohl er wußte, daß niemand auf der »Kolumbus« seine Stimme hören konnte, schrie er:

»Weiter, Wjaninow! Hör nicht auf, spiel weiter. Hör um Himmels willen nicht auf!«

Fünf Minuten später landete die »Kolumbus« auf der klippe, und vom Mittelturm aus erledigte Kurt den Kraken mit einer Kobaltgranate. Das Ungeheuer stürzte ins Meer und übersprühte den Felsen mit rotem Wasser.

Duncan und Pelissier kamen heraus, hoben den Kommandanten hoch und trugen ihn ins Raumschiff.

»Wo ist Wjaninow?« fragte Steel, sobald er den Helm abgenommen hatte. Die gesamte Mannschaft, mit Ausnahme des Radarmannes, hatte sich um ihn versammelt. »Wo ist Wjaninow?« wiederholte er.

Er stand im Hintergrund, hielt die Balalaika noch in den Händen und hatte den Blick gesenkt wie ein gescholtener Hund. Steel winkte ihn zu sich.

»Großartig!« flüsterte er. »Wirklich herrliche Musik.« Er streckte die Hand aus und zupfte unbeholfen an den Saiten. »Wunderbar!« Und dann fiel er in Ohnmacht.

Heute ist Leo Steel ein mutiger Mann. Sein Leben hat sich vollkommen geändert, niemand wagt mehr, von der Vergangenheit zu sprechen. Heute trägt Leo Steel wirklich seinen Namen zu Recht.

Über Befehle wird nicht diskutiert

Howard Drummond, Besitzer und Leiter des »Science Fiction Magazine« von San Francisco, hob die Nase von den Papieren, die seinen Schreibtisch bedeckten, und lächelte Miß Merwin zu.

»Was ist los?« fragte er freundlich. »Ist etwas nicht in Ordnung?«

Priscilla Merwin zupfte die Falten ihres schwarzen Kittels zurecht. Sie stand mit einem Bündel alter Zeitschriften unter dem Arm vor dem Direktor, ihre Hände ballten und öffneten sich nervös, und sie sah ihn so verzweifelt an wie ein ins Netz gegangener Vogel.

»Mister Drummond«, erklärte sie schließlich unglücklich, »ich muß mit Ihnen sprechen.« Sie sah zu Betty Sheridan, der Sekretärin des Direktors, hinüber und fügte hinzu: »Unter vier Augen.«

Drummond blickte auf die Uhr. »Es ist neunzehn Uhr dreißig«, wandte er sich an seine Sekretärin. »Gehen Sie ruhig nach Hause, Betty, ich mache ohnehin gleich Schluß.«

Er zeigte mechanisch auf einen Stuhl. Priscilla setzte sich und umklammerte die Zeitschriften auf ihrem Schoß. Sie war nicht sonderlich hübsch, sondern groß und mager, hatte einen blonden, kurz geschnittenen Schopf und gelblichen, unreinen Teint: ein Sternennebel von Mitessern auf einem Himmel aus Pergament.

Sobald sie allein waren, stützte Drummond die Ellbogen auf den Tisch und legte die Hände aneinander.

»Sprechen Sie«, forderte er sie auf.

Priscilla räusperte sich. »Es handelt sich um Roy Donovan und Larry Robson.«

»Gibt es Schwierigkeiten bei der Zusammenarbeit?«

»O nein, in dieser Beziehung ist alles in Ordnung.« Priscilla zögerte, als suche sie die passenden Worte. »Ich weiß nicht, wie ich es Ihnen beibringen soll, Mister Drummond, denn Sie werden mich für dumm oder verrückt halten. Trotzdem finde ich, daß ich mit Ihnen sprechen muß, bevor ich die Polizei verständige.«

»Die Polizei verständigen?«

»Ja, wir befinden uns alle in Gefahr.«

Der Direktor machte eine ungeduldige Bewegung. »Was ist eigentlich los?«

»Es handelt sich, wie gesagt, um Roy und Larry.«

»Ja, und?«

»Sie sind Marsianer.«

Drummond zuckte zusammen, preßte die Lippen aufeinander und sah Priscilla Merwin böse, beinahe verärgert an. »Das ist ein ausgesprochen schlechter Witz.« Er schlug mit der Faust auf den Tisch. »Also Marsianer? Sie sind wirklich nicht sehr originell, Miß Merwin. Aber natürlich ... Wir beschäftigen uns von morgens bis abends mit Science Fiction, leben unter Ungeheuern und Vampiren, werden von Uraniden und Seleniten bedrängt, und jetzt erzählen Sie mir zur Abwechslung von Marsianern. Erwarten Sie wirklich, daß ich darüber noch lachen kann?«

»Ich versichere Ihnen, Mister Drummond, daß es sich um keinen Witz handelt. Ich habe Beweise für meine Behauptung.«

Der Direktor zuckte wieder zusammen.

Priscilla schob ihre Brille zurecht. »Ich habe die beiden genau beobachtet. Ich habe zum ersten Mal Verdacht geschöpft, als ich Roys Erzählungen gelesen habe.« Sie schlug eine alte Nummer des »Science Fiction Magazine« auf. »Lesen Sie diesen Artikel. Die Beschreibung der roten Wüste auf dem Mars. Großartig!« Sie griff nach einem anderen Heft. »Und hier? Hier spricht er über die Sümpfe auf der Venus. Sehen Sie nicht die Sümpfe, die Wälder und die hohen Berggipfel vor sich? Und jetzt schauen Sie sich Larrys Illustrationen dazu an!« Sie warf die Nummer auf den Tisch: Auf dem Titelbild befand sich ein zweiköpfiges Ungeheuer mit beulenübersäter Haut und rauchenden Nüstern. »Übertrifft die kühnste Phantasie, nicht wahr? Natürlich! Nur jemand, der mit eigenen Augen ein solches Ungeheuer gesehen hat, kann es so zeichnen.«

Drummond verzog das Gesicht. Miß Priscilla hatte ihre Schüchternheit abgelegt und überschüttete ihn mit einer Flut von Beispielen. Sie war aggressiv geworden, brachte immer paradoxere Argumente vor. Drummond begriff, daß es besser war, wenn er es im guten versuchte.

»Aber, aber«, rief er voller Verständnis und Mitgefühl. »Roy und Larry sind zwei junge, talentierte Mitarbeiter; ich bezahle ihnen deshalb auch Spitzenhonorare. Wenn sie kein Talent hätten, hätte ich sie schon längst gefeuert.«

»Ja«, stimme Priscilla zu. »Aber da ist noch etwas.«

Sie schlug ein weiteres Exemplar der Zeitschrift auf, in dem sie einen Artikel rot markiert hatte. »Lesen Sie«, verlangte sie.

Drummond warf einen Blick auf den Artikel.

»In dieser Erzählung beschreibt Roy die andere Seite des Mondes. Und diese Zeichnung hat Larry angefertigt; sie ähnelt den später in allen Zeitungen veröffentlichten Fotos aufs Haar.«

»Und was ist daran so seltsam?«

»Das Datum. Diese Nummer stammt aus dem April neunundfünfzig. Und Sie wissen sicherlich genausogut wie ich, daß das erste Foto von der anderen Seite des Mondes Ende Oktober gesendet wurde. Wie konnte Roy es sechs Monate vorher so exakt beschreiben? Und Larry? Wie erklären Sie sich diese Generalproben-Zeichnung?«

Drummond kratzte sich verdutzt am Hals.

»Was soll ich dazu sagen? Es handelt sich sicherlich um einen Zufall. So etwas kommt vor: Manchmal nimmt die Phantasie die Wirklichkeit voraus.«

»Das ist kein Werk der Phantasie!«

»Mein Gott! Sie nehmen doch nicht wirklich an, daß ... Also das geht zu weit.«

Priscilla Merwin wurde rot, senkte den Blick und verschwand wieder in einer Wolke der Ehrfurcht.

»Bitte, Mister Drummond, da wäre noch etwas.«

Der Direktor verdrehte die Augen.

»Bitte, fangen Sie nicht an zu lachen«, fuhr Priscilla fort. »Ich habe beschlossen, reinen Tisch zu machen, deshalb sage ich alles. Vor einiger Zeit hatte ich eine Schwäche für diesen jungen Mann ...«

»Für wen? Roy oder Larry?«

»Roy. Ich habe mir gesagt: Vielleicht interessiert er sich nicht für mich, weil ich für ihn schon eine alte Jungfer bin, vielleicht hat er eine Freundin in San Diego. Er hat uns doch immer erzählt, daß er früher in San Diego in der Neunundfünfzigsten Straße gewohnt hat. Kurz ... Bitte, machen Sie mir keine Vorwürfe, Mister Drummond, ich habe Informationen eingeholt. In San Diego hat es nie einen Roy Donovan gegeben. Und außerdem existiert dort keine Neunundfünfzigste Straße. Roy hat uns einen Bären aufgebunden.«

Drummond versuchte, ruhig zu bleiben. Er klopfte scheinbar geduldig mit dem Bleistift auf die Tischplatte, konnte aber von Zeit zu Zeit einen Seufzer nicht unterdrükken.

»Er ist ein Geheimagent«, erklärte Priscilla.

»Ein was?«

»Ein Geheimagent. Er kommt ganz bestimmt vom Mars.«

Drummond wechselte seine Taktik. Er sah jetzt Miß Merwin ernst oder eigentlich gleichgültig an wie ein Arzt die Patienten in einer Nervenheilanstalt.

»Und warum ausgerechnet vom Mars?«

»Ich schließe das aus der Art, wie er Wasser verwendet. Er gebraucht es äußerst sparsam. Er hat sich einmal beim Bleistiftspitzen in den Finger geschnitten. Ich habe ihn auf die Toilette begleitet, um ihn zu verbinden. Sie hätten sehen sollen, wie vorsichtig er mit dem Wasser umgegangen ist. Er hat es nur ganz schwach aufgedreht, und diese Gewohnheit läßt auf jemanden schließen, der lange in einer Welt gelebt hat, in der es wenig Wasser gibt. Außerdem ... ist es Ihnen aufgefallen? Er trägt ständig dunkle Brillen. Auch das ist ein Beweis: Sie wissen genau, daß die Sonneneinstrahlung auf der Erde intensiver ist als auf dem Mars.«

»Hören Sie«, erwiderte Drummond, »ich halte Sie für eine

ausgezeichnete Mitarbeiterin, eine Stütze unserer Zeitschrift. Vielleicht haben Sie in letzter Zeit zuviel gearbeitet. Eine Woche Urlaub würde Ihnen bestimmt guttun.«

Priscilla begann zu weinen. »Ich habe gewußt, daß Sie mich für verrückt halten werden. Aber ich habe sie gehört!«

»Was haben Sie gehört?«

»Roy und Larry. Sie haben geglaubt, daß sie allein sind und haben sich in einer komischen, abgehackten Sprache unterhalten, die beinahe an Japanisch erinnert hat.«

»Vielleicht war es ein Spaß ...«

»Bestimmt nicht. Sie haben gebrüllt und ununterbrochen mit der Faust auf den Tisch geschlagen. Sie werden sich noch in die Haare geraten, habe ich mir gedacht. Und heute früh ist dann das unerhörte, absurde, unmißverständliche Ereignis eingetreten. Wenn Sie in der Irrenanstalt anrufen wollen, damit man mich abholt, ich habe nichts dagegen, mir ist es gleichgültig. Ich halte es nicht mehr aus, ich kann nicht mehr über meine Beobachtungen schweigen, ich muß es jemandem erzählen, Ihnen oder der Polizei, damit sie etwas dagegen unternimmt.«

Drummond schüttelte verzweifelt den Kopf. Priscilla betupfte ihre Augen und schneuzte sich energisch.

»Heute morgen, gegen zehn Uhr, tippte ich Roys letzte Erzählung auf der Maschine. Er stand am Schreibtisch, schaute geistesabwesend aus dem Fenster, und Larry saß im Hintergrund des Raumes an seinem Zeichentisch. Ich habe die Szene aus dem Augenwinkel beobachtet. Seit einiger Zeit lasse ich die beiden nämlich nicht mehr aus den Augen. Plötzlich fragt Larry: ›Hast du eine Zigarette, Roy?‹ – ›Ja‹, antwortete Roy und sieht weiterhin zum Fenster hinaus. ›Das Päckchen liegt auf dem Schreibtisch.‹ Ich habe erwartet, daß Larry aufsteht oder verlangt: ›Wirf mir das Paket herüber.‹ Aber nein. Ich habe gesehen, wie die Packung von selbst aufgegangen ist. Ich habe gesehen, wie sich das Stanniolpapier aufgefaltet hat, die Zigarette herausgeglitten und durch die Luft geschwebt ist – zu Larry. Ich bin nicht verrückt, Mister Drummond. Es hat sich um echte Telekinese gehandelt, etwas, was nur die Marsianer beherrschen.«

Sie brach wieder in Tränen aus, diesmal schluchzte und zitterte sie aber so unbeherrscht, als wäre sie hysterisch.

Drummond wußte nicht, was er mit ihr anfangen sollte. »Es handelt sich bestimmt um einen Trick. Beruhigen Sie sich, Miß Merwin, es war ganz bestimmt nur ein Trick. Die beiden Spaßvögel haben Sie auf den Arm genommen ...«

»Versetzen Sie mich in eine andere Abteilung, Mister Drummond. Ich arbeite nicht mehr in einem Zimmer mit den beiden. Ich habe Angst.«

»Reden Sie doch keinen Unsinn. Ich habe Ihnen ja gesagt, Sie sind ein bißchen erschöpft. Eine Woche Urlaub, und alles ist wieder in Ordnung, glauben Sie mir.«

Priscilla konnte sich nicht beruhigen. Daraufhin stand Drummond auf, trat zu ihr und streichelte ihr beruhigend über den Arm.

»Ich verstehe Sie, unsere Arbeit ist teuflisch. Auch ich habe nachts Alpträume, sogar Betty Sheridan träumt von den Männern von der Wega, die sie entführen wollen. Aber den beiden Männern werde ich den Kopf zurechtsetzen. Sie können sich darauf verlassen, daß den beiden die dummen Scherze vergehen werden.«

Er schaltete die Sprechanlage ein und befahl:

»Miß Sullivan, bestellen Sie Donovan und Robson, daß ich sie sofort in meinem Büro sprechen will.« Dann wandte er sich an Priscilla: »Den beiden sage ich jetzt gehörig die Meinung, das können Sie mir glauben.«

Er tätschelte ihr die Wange und begleitete sie zur Tür.

»Hallo, Chef«, grüßte Donovan, als er hereinkam.

»Und Larry?«

»Ist schon fort.«

»Trottel!«

»Er war schon fort, als die Sullivan mich angerufen hat.«

»Trottel«, wiederholte der Direktor. »Ich meine dich.«

Donovan sah ihn verständnislos an.

»Du und dein Freund Larry, ihr unterhaltet euch also auf Marsianisch, was? Großartig! Und als würde das nicht genügen, vergnügt ihr euch auch noch mit Telekinese.«

Donovan runzelte die Stirn und versuchte offensichtlich zu begreifen.

»Entschuldigen Sie, Chef, aber ich verstehe kein Wort.«

»Idiot! Dieser Besenstiel, deine Sekretärin, hat es bemerkt. Begreifst du jetzt?«

»Eigentlich nicht. Das heißt, es könnte möglich sein. Ich habe sie mehr als einmal dabei überrascht, daß sie in meinem Schrank herumgestöbert hat, vielleicht hat sie sich sogar einen Nachschlüssel beschafft. Aber seither trage ich den Code und meine wichtigsten Papiere immer bei mir.« Er zündete sich nervös eine Zigarette an. »Heute abend, spätestens morgen früh, hätte ich es Ihnen allerdings gemeldet.«

»Was hättest du gemeldet?«

»Die Merwin. Ich habe sie heute früh dabei ertappt, wie sie Larrys Taschen durchsucht hat. Vielleicht haben Sie recht, und diese Hexe ist uns auf die Schliche gekommen.«

»Um Himmels willen! Ihr habt ihren Verdacht erregt, ihr Vollidioten! Zum Glück ist sie damit zu mir gekommen, und ich habe die Angelegenheit in Ordnung bringen können.«

Er sah Donovan einen Augenblick lang vernichtend an, dann schlug er mit der Faust auf den Schreibtisch:

»Wie oft muß ich dir noch sagen, daß ihr vorsichtig sein sollt? Diese verdammten Terrestrier sind nicht so dumm, wie sie aussehen. Ich spreche nicht von deiner Geschichte, in der du die andere Seite des Mondes beschrieben hast, denn darüber bin auch ich gestolpert. Aber daß ihr euch in eurer Muttersprache unterhaltet, daß ihr Gegenstände durch die Luft schweben laßt, wenn Terrestrier dabei sind ... das verzeihe ich euch nicht. Ihr kennt unseren Auftrag und ihr kennt auch die Strafe, wenn man ihn gefährdet.«

»Natürlich, Chef«, meinte Roy kleinlaut. »Aber manchmal ist die Gewohnheit eben stärker.«

»Was du nicht sagst«, spottete Drummond. »Und damit ist vielleicht unsere ganze Mission im Eimer. Jahre der Vorbereitung und der Opfer sind wegen eurer Unvorsichtigkeit vergebens gewesen.«

»Also, was tun wir? Ziehen wir sie aus dem Verkehr?«

»Bist du total verrückt? Diese Schlange wollte die Polizei verständigen, aber ich habe es ihr ausgeredet. Man hätte ihr zwar ohnehin nicht geglaubt, aber man kann nie vorsichtig genug sein. Jetzt hör gut zu: Die alte Schachtel hat eine Schwäche für dich, oder hatte sie jedenfalls, bevor ihr beide ihr Angst eingejagt habt.«

»Na und?«

»Bemühe dich um sie, geh am Abend mit ihr spazieren und erkläre ihr, daß du den Marsianer nur gespielt hast, um ihre Aufmerksamkeit zu erregen. Rede ihr ein, daß du bis über beide Ohren in sie verliebt bist. Wenn du ihr Herz eroberst, gewinnst du gleichzeitig ihr Vertrauen, und damit auch ihr Stillschweigen.«

»Nein, Chef«, widersprach Roy entsetzt. »Mit dieser Bohnenstange zeige ich mich nicht in der Öffentlichkeit.«

»Halt den Mund!« brüllte Drummond. »Du hast uns die Suppe eingebrockt, also wirst du sie auslöffeln. Ich werde dir von unseren Freunden in Philadelphia eine Heiratserlaubnis besorgen lassen. In einem Monat steht ihr vor dem Traualtar.«

Donovan wurde blaß. Priscilla war für ihn das schrecklichste Wesen, das er auf der Erde kennengelernt hatte.

»Chef«, protestierte er mit versagender Stimme, »diese Hexe heirate ich nicht, das können Sie nicht verlangen.«

»Schluß der Debatte«, unterbrach ihn Drummond. »Das ist ein Befehl, verstehst du? Ein Befehl!«

Roy Donovan mußte sich mit aller Gewalt beherrschen, um nicht zu protestieren. Ein Befehl. Er saß rettungslos in der Falle. Die Vorschriften waren eindeutig. Paragraph eins lautete: »Über Befehle wird nicht diskutiert.« Und sein Chef hatte ihm soeben einen eindeutigen Befehl erteilt, gegen den es keinen Einspruch und keine Berufung gab.

Er warf die Zigarette in den Aschenbecher und nahm Haltung an.

An der Ecke des Gebäudes wartete Betty Sheridan in einem dunklen Winkel. Es war finster, und nur wenige Fußgänger waren unterwegs.

Als Priscilla Merwin auftauchte, ging ihr Betty entgegen. »Wie war's?«

»Es hat phantastisch geklappt«, erklärte Priscilla. »Der Alte hat alles geschluckt. Er hat mir eingeredet, daß ich erschöpft bin, und mir eine Woche Urlaub gegeben, damit ich mich erhole.«

Sie begann zu lachen. Ein schrilles, unbeherrschtes, beinahe metallisches Gelächter.

»Und dann?« fragte Betty.

Priscilla reagierte nicht gleich, denn sie lachte immer noch und kümmerte sich nicht um die Ermahnungen ihrer Freundin. »Ach, Betty, du hättest den alten Drummond sehen sollen. Als Schauspieler ist der Kerl keinen Pfennig wert. Der arme Teufel hat sich fürchterlich angestrengt, hat mich behandelt, als wäre ich vor Angst übergeschnappt, und hat schließlich wirklich geglaubt, daß er mich überzeugt hat.«

»Du bist ein großes Risiko eingegangen«, meinte Betty vorwurfsvoll.

»Was hätte ich denn tun sollen?« Priscilla wurde wieder ernst. »Dieser Roy hat mich erwischt, als ich die Taschen seines Freundes durchsucht habe, das habe ich dir ja erzählt. Um keinen Verdacht zu erregen, mußte ich so tun, als wäre ich ein ahnungsloser Terrestrier, der eines Tages erkennt, daß er von Eindringlingen vom Mars umgeben ist. Aber beruhige dich, es ist glatt gegangen. Ich mußte so tun, als hätte ich etwas bemerkt, und mich dann davon überzeugen lassen, daß ich mir alles nur eingeredet habe. Wenn ich geschwiegen hätte, wären sie uns beiden auf die Schliche gekommen.«

Betty nickte.

»Diese dreckigen Marsianer«, fuhr Priscilla fort. »Sie haben sich hier niedergelassen, haben sich unter die Terrestrier gemischt, haben die Ämter, die Dienststellen infiltriert ... Aber wir werden sie aufspüren, wir werden alle ausforschen, und wir werden sie beseitigen.«

Betty nickte wieder.

»Es gibt allerdings eine Schwierigkeit«, bemerkte Priscilla.

»Der Alte hat sofort Roy zu sich kommen lassen. Ich bin ins Archiv hinuntergelaufen, und dank der Wanze, die wir vergangene Woche angebracht haben, habe ich das ganze Gespräch mitgehört.«

»Und?«

»Drummond hat Roy befohlen, mir als Vorsichtsmaßnahme den Hof zu machen und mich innerhalb eines Monats zu heiraten. Soll ich wirklich die scheinheiligen Aufmerksamkeiten eines Marsianers ertragen? Dazu habe ich nicht die geringste Lust. Andererseits darf ich ihn nicht abweisen, sonst glauben sie, daß ich ihn immer noch verdächtige. Wir müssen uns dafür eine Lösung einfallen lassen.«

Bettys Augen blitzten boshaft.

»O nein, meine liebe Priscilla. Drummond glaubt, daß er schlauer ist als wir, und wir lassen ihn in diesem Glauben. Er hat Roy befohlen, dich zu heiraten? Fein, du wirst seinen Antrag annehmen, und zwar mit Begeisterung. Wenn du mit Roy zusammenlebst, kannst du mühelos alle Informationen bekommen, die wir brauchen, zum Beispiel, wo sich die übrigen Halunken versteckt halten. Wir können sie dann viel rascher erledigen als vorgesehen.«

Priscilla lehnte sich an die Wand, weil ihre Knie zitterten.

»Das kann doch nur ein Witz sein, Betty. Du weißt, daß die Martianer stinken, vor allem Roy. Wenn ich seinen säuerlichen Schweiß rieche, wird mir schlecht.«

Betty sah Priscilla mit harten, erbarmungslosen Augen an.

»Schluß jetzt, du tust, was ich gesagt habe. Das ist ein Befehl.«

Priscilla hätte Betty am liebsten vor Wut und Empörung die Augen ausgekratzt. Doch ihr fiel gerade noch rechtzeitig ein, daß der erste Paragraph der venusianischen Vorschriften besagte: »Über Befehle wird nicht diskutiert.«

Die Straße war menschenleer. Priscilla Merwin zupfte ihre Kleidung zurecht, nahm Haltung an und neigte zum Zeichen des Gehorsams den Kopf.

Eine echte Rothaarige

Vor allem der Schnurrbart störte ihn: er war tiefschwarz, dünn, an den Mundwinkeln aufgebogen und mit Brillantine eingefettet.

André Clement musterte den Mann, der an der anderen Seite des Schreibtisches saß, noch einmal. Es gab keine Zweifel, er sah genauso aus, wie man sich einen Privatdetektiv der alten Schule vorstellt. Aber vielleicht war das Ganze nur Theater, nur Schaumschlägerei für Leichtgläubige.

Der Mann mit dem Schnurrbart trommelte mit den Fingern der linken Hand auf den Rand des Aschenbechers. Die andere Hand war unsichtbar, wahrscheinlich steckte sie in der Tasche oder lag auf dem Oberschenkel. Der rechte Arm bewegte sich unmerklich, vielleicht verschaffte die unter dem Tisch verborgene Hand einem juckenden Knie ein wenig Erleichterung.

André bemerkte die ausgefranste Manschette, die nicht allzu sauberen Fingernägel, die Nikotinflecken auf den Fingern. Nein, der Mann rauchte nicht Pfeife; in dieser Beziehung paßte er jedenfalls nicht in das Standardklischee eines Detektivs.

»Der Fall ist verdammt kompliziert«, meinte der Detektiv schließlich und hörte auf, mit den Fingern zu trommeln.

»Das stimmt«, gab André zu, der inzwischen begriffen hatte, daß er besser zu Hause geblieben wäre. Wie hatte er nur auf die Idee kommen können, sich an einen Detektiv zu wenden!

»Aber Antoine Laforgue gibt nicht auf! Auf meiner Tür steht *Luchsauge,* und das trifft auch zu.« Sein Ton war theatralisch, und André ärgerte sich über diesen Dünkel.

Als er sprach, klang seine Stimme beinahe schüchtern. »Was können Sie also in meinem Fall unternehmen, Herr Laforgue?«

Der Detektiv schlug mit der Hand auf die Schreibtischplatte.

»Nur mit der Ruhe, mein Freund.« Er runzelte nachdenklich die Stirn, zog eine Schublade auf und entnahm ihr einen weißen Bogen Papier. »Ordnung, die Ordnung ist das wichtigste.« Er griff nach einem Kugelschreiber. »Ihr Name, bitte.«

André hatte das Bedürfnis, aufzustehen und zu gehen.

»André Clement«, flüsterte er.

»Alter?«

»Zweiunddreißig Jahre.«

»Beruf?«

»Arzt.«

»Haben Sie eine eigene Ordination oder arbeiten Sie in einem Krankenhaus?«

»Keines von beiden. Ich arbeite am Biologischen Zentrum für Krebsforschung.«

»Verheiratet?«

»Nein, aber was hat das mit dem Fall zu tun? Ich bin hier, um ...«

»Doktor Clement«, unterbrach ihn Laforgue, »das Gesetz schreibt mir vor, daß ich für jeden Klienten eine Karteikarte anlegen muß. Adresse?«

»Château Beauregard, Saint Julien.«

»Saint Julien ist ein schöner Ort. Vergangenes Jahr habe ich in der Gegend eine Woche Urlaub gemacht.«

»Wirklich?« André heuchelte Interesse.

»Ja. Eigentlich war es kein richtiger Urlaub, ich habe dort einen Auftrag erledigt. Aber die Arbeit war nicht schwer: ein eifersüchtiger Ehemann hatte mich beauftragt, seine Frau zu überwachen, eine sehr attraktive Dame, die im Urlaub etwas zu viel flirtete.«

André rümpfte die Nase. Der Kerl wird mir sofort erzählen, daß die schöne Dame auch mit ihm geflirtet hat, dachte er. Doch Laforgue verlor kein weiteres Wort über diesen Fall. Er legte den Kugelschreiber beiseite und schob André das Blatt Papier zu.

»Unterschreiben Sie, bitte. Außerdem bekomme ich eine

Anzahlung ... Bei Beginn der Nachforschungen sind tausend Francs zu hinterlegen.«

Der Betrag war hoch, doch André unterschrieb und bezahlte widerspruchslos.

»Ja, also«, begann der Detektiv langsam, während er Papier und Scheck in die Schublade sperrte. »Ich soll also die berühmte Nadel im Heuhaufen finden.«

»Ja, aber das Mädchen hat rote Haare. Damit ist die Suche schon leichter.«

»Das stimmt, trotzdem wird es sehr schwierig sein, die betreffende Person zu finden. Gerade die Haarfarbe könnte mich auf eine falsche Spur locken. Wenn Sie sich umsehen, werden Sie feststellen, daß heutzutage jede zehnte Frau rote Haare hat. Natürlich sind die meisten gefärbt, aber gerade hier liegt die Schwierigkeit, nämlich in der Leichtigkeit, mit der die Damen die Haarfarbe wechseln können. Vielleicht war das Mädchen inzwischen beim Friseur. Eine Spülung, und die roten Haare sind verschwunden! Jetzt können sie elektrischblau oder platinblond sein.«

»Weena hat Sommersprossen, leichte Sommersprossen auf den Wangen und auch ein bißchen auf den Armen. Sie ist eine echte Rothaarige.«

Laforgue trug in sein Notizbuch *Sommersprossen* ein.

»Wirklich eine echte Rothaarige?«

»Ja.«

»Sind Sie Ihrer Sache sicher?«

André war verärgert.

»Hören Sie mal, *Herr Luchsauge,* ich habe Ihnen erklärt, daß es sich um eine echte Rothaarige handelt, und begreife nicht, warum diese Einzelheit Sie so stört. Übrigens waren Weena und ich zwei Wochen lang ununterbrochen beisammen. Ich glaube nicht, daß sie sich in dieser Zeit falsche Sommersprossen auf die Haut malen konnte.«

Laforgue räusperte sich. »Ich verstehe, Doktor. Dennoch möchte ich, daß Ihnen ein Umstand klar ist: Ich stelle meine Fragen nicht aus persönlicher Neugierde, sondern nur im Interesse meiner Klienten. Bei solchen Nachforschungen kann man nie über genügend Informationen verfügen.«

Er überflog rasch die Seiten seines Notizbuchs, dann legte er zwei Finger affektiert an die Nasenwurzel, um anzudeuten, daß er sich konzentrierte.

»Fassen wir also zusammen. Sie haben das Mädchen mit den roten Haaren vor achtzehn Tagen auf dem Strand von Saint Julien kennengelernt. Richtig?«

André nickte müde.

»Würden Sie mir bitte diese Begegnung noch einmal in allen Einzelheiten schildern.«

»Das habe ich Ihnen doch schon alles erzählt«, fuhr ihn André gereizt an. »Außerdem sehe ich nicht ein, wozu Sie all diese unwesentlichen Details brauchen.«

»Das stimmt nicht, sie sind sogar äußerst wichtig. Bitte, berichten Sie mir über die Ereignisse, als wäre dies Ihr erster Besuch bei mir.«

»Also gut. Es war gegen elf Uhr, ich lag am Strand in der Sonne.«

»Befanden sich viele Menschen am Strand?«

»Nein, höchstens zehn bis fünfzehn, und alle weit verstreut. Sie kennen doch Saint Julien, nicht wahr? Der Ort ist schön, aber es gibt nur wenige Hotels und Pensionen, und der Strand ist beinahe immer leer. Ich bin also mit geschlossenen Augen dicht am Wasser in der Sonne gelegen. Vielleicht habe ich auch ein wenig gedöst. Plötzlich habe ich die Augen geöffnet und sie gesehen.«

»Sie haben sie gesehen?«

»Ja. Kaum zwei Meter entfernt stand Weena vor mir und sah mich an.«

»Erklären Sie das bitte näher.«

»Was soll ich da erklären? Ich habe gesagt und wiederhole, daß sie mich angesehen hat. Vielleicht tat sie das schon seit einiger Zeit, das weiß ich nicht, ich hatte ja die Augen geschlossen.«

»Beschreiben Sie mir den Blick. Wirkte sie interessiert?«

André antwortete nicht. Der pedantische Detektiv stellte seine Geduld auf eine harte Probe.

»Versuchen Sie, mich zu verstehen, Doktor Clement. Ich stelle meine Fragen nicht grundlos. Man kann natürlich nicht behaupten, daß Saint Julien ein bekannter Badeort ist, aber Abenteurerinnen treiben sich eigentlich überall herum.«

André wurde vor Wut krebsrot.

»Weena ist keine Abenteurerin«, unterbrach er den Detektiv scharf. »Ich weiß, was ich sage, wir waren zwei Wochen lang beisammen, und in dieser Zeit ist nichts geschehen, was ... Ich hätte es ja bemerkt. Sie vergessen, daß Weena zwar verschwunden ist, daß aber nichts aus meinem Haus fehlt, nicht einmal eine Nadel.«

»Beruhigen Sie sich, Doktor, es hat sich nur um eine Arbeitshypothese gehandelt. Übrigens ... man kann auf den ersten Blick feststellen, daß Sie ein vermögender Mann sind. Das stimmt doch, nicht wahr? Und der Diamant am kleinen Finger würde auch die letzten Zweifel beseitigen. Aber kehren wir zu der Begegnung zurück. Was ist nachher geschehen?«

André suchte in seinen Taschen nach Zigaretten. Laforgue schob ihm ein Päckchen zu.

»Meinen Sie – sofort danach? Nichts Besonderes. Sobald Weena bemerkt hat, daß ich die Augen geöffnet hatte und sie ebenfalls ansah, ist sie weitergegangen, aber nicht sehr weit. Sie hat sich in ungefähr zehn Metern Entfernung auf eine Klippe gelegt.«

»Natürlich, die klassische Taktik. Ich nehme an, daß das Mädchen Sie keines Blickes mehr gewürdigt hat.«

»O nein, sie hat immer wieder zu mir herübergeschaut. Daraufhin bin ich ins Wasser gesprungen und hinausgeschwommen. Wissen Sie, ich bin der letzte, der sich in einem solchen Fall zurückzieht. Aber wenn einen eine so schöne Frau so ansieht ... In mir hat eine Alarmglocke geschrillt, und ich habe beschlossen, etwas Distanz zwischen uns zu bringen.«

»Und wie ist es weitergegangen?«

André drückte die kaum angezündete Zigarette wieder aus.

»Ich habe mich auf das Floß hinaufgezogen, das vollkommen leer war. Dort habe ich die Ruhe genossen, bis ihr

Kopf plötzlich neben mir aufgetaucht ist. ›Guten Tag‹, hat sie gesagt und ist geschickt und mühelos auf das Floß hinaufgeklettert. Wir sind über eine Stunde lang nebeneinander in der Sonne gelegen, ohne ein Wort zu wechseln.«

»Und dann?«

»Dann sind wir langsam ans Ufer zurückgeschwommen und sind dazwischen auch ein paarmal getaucht. Auf dem Strand hat Weena meine Hand ergriffen und mich zu dem Gebüsch geführt, in dem sie ihre Kleidung versteckt hatte. Mein Auto stand hundert Meter weiter unten an der Straße. Ich habe mich ebenfalls angekleidet und darauf gewartet, daß sie zum Auto kommt.«

Laforgue schlug das Notizbuch wieder auf.

»Beschreiben Sie die Kleidung des Mädchens.«

»Die Kleidung? Weena war sehr einfach gekleidet: schwarze Samthose, Silbersandalen und eine leuchtend grüne Bluse. Das war alles. Dazu einen Beutel mit Messinggriff und langem Schulterriemen.«

»Haben Sie das Mädchen danach irgendwohin gebracht?«

»Wir haben in einem Restaurant in der Nähe im Freien gegessen.«

»Wovon haben Sie gesprochen?«

Andrés Gesichtsausdruck deutete an, daß seine Erinnerung in dieser Beziehung sehr vage war. »Ich weiß es nicht mehr. Von nichts Besonderem, denn wir kannten uns ja kaum. Irgendwann hat sie gesagt: ›Ich heiße Weena.‹ Und ich: ›Weena, und wie noch?‹ Und sie: ›Weena genügt.‹ Ich wollte etwas mehr über sie erfahren, wo sie zu Hause ist und womit sie sich beschäftigt. Sie hat gelacht, bis ihr die Tränen kamen, und dann hat sie mir erklärt, daß man den Urlaub inkognito genießen soll. Sie konnte eine Verkäuferin, eine Lehrerin oder auch eine irische Fürstin sein. Doch dann habe ich erkannt, daß es mir eigentlich gleichgültig war, wie es mir auch gleichgültig war, ob Weena ledig oder verheiratet, geschieden oder verwitwet war. Sie gefiel mir, das genügte. Auch später habe ich nie das Bedürfnis gehabt, diese Dinge zu ergründen, jedenfalls nicht, solange Weena bei mir war.«

»Gut, gut«, brummte Laforgue. »Und dann?«
»Und dann was?«
»Wohin sind Sie nach dem Essen gegangen?«

André Clement stand auf, und sein Gesichtsausdruck zeigte deutlich, daß seine Geduld erschöpft war.

»Jetzt reicht's mir, Herr Laforgue.« Er stützte sich drohend mit beiden Händen auf den Schreibtisch. »Ich habe Weena in mein Haus mitgenommen. Wenn ich nicht beruflich unterwegs bin, lebe ich allein in Château Beauregard, zwanzig Zimmer nur für mich, mit einem Majordomus, einer Köchin und einem Diener, der sich auch um den Garten kümmert. Ich habe Weena zu mir mitgenommen, und wir sind miteinander ins Bett gegangen. Aber falls Sie annehmen, daß ich Ihnen auch darüber in allen Einzelheiten berichte, dann sind Sie auf dem Holzweg. Sie sollen für mich Nachforschungen anstellen, also machen Sie Ihre Notizen und hören Sie auf, mich zu quälen.«

Der Detektiv verbeugte sich lächelnd und hob die Hände mit einer Bewegung, als wäre er ein Höfling im achtzehnten Jahrhundert.

»Ihre Nerven sind angegriffen, Doktor. Natürlich, das Mädchen muß traumhaft schön gewesen sein, und Sie hat es erwischt. Ich begreife auch, daß es unangenehm, sogar peinlich ist, wenn man vor einem Fremden über Einzelheiten aus seinem Intimleben sprechen muß. Deshalb wiederhole ich, daß ich meine Fragen nur im Interesse meiner Kunden stelle. Sie könnten mir meine Aufgabe ungeheuer erleichtern, wenn Sie ...«

»Ich habe nichts mehr hinzuzufügen«, unterbrach ihn André. »Ich habe Ihnen gesagt, wie das Mädchen heißt und wie es gekleidet war, habe es beschrieben und habe einen Scheck unterzeichnet. Das genügt, setzen Sie sich jetzt in Bewegung und berichten Sie mir, sobald Sie etwas herausfinden.«

Er knöpfte seinen Rock zu und wandte sich zur Tür.

»Einen Augenblick, Doktor Clement. Ich möchte noch etwas wissen. Das Mädchen war vierzehn Tage Ihr Gast. Ist es nie, auch nur für kurze Zeit, allein weggegangen?«

»Nein!« brüllte André. »Wir sind Tag und Nacht beisammen gewesen, wie ein Hochzeitspärchen in den Flitterwochen. Wollen Sie noch etwas wissen?«

»Ja, ich möchte genau wissen, wann das Täubchen ausgeflogen ist.«

»Vor drei Tagen. Ich bin allein in einem Bett aufgewacht, das viel zu groß, kalt und unnütz war. Auf Wiedersehen, Herr Laforgue.«

Luchsauge ließ sich nicht aus der Fassung bringen. Er stand auf, ging um den Schreibtisch herum und holte André an der Tür ein.

»Noch eine Frage, Doktor, aber ärgern Sie sich nicht über mich. Sie sagen, daß das Mädchen vor drei Tagen, also Donnerstag früh, verschwunden ist. Hatten Sie am vorhergehenden Abend gestritten? Haben Sie vielleicht etwas Ungewöhnliches bemerkt, eine Bewegung, ein Wort? Wissen Sie, manchmal nehmen Frauen selbst eine Kleinigkeit krumm und reagieren vollkommen unvernünftig. Weena könnte sich irgendwo in der näheren Umgebung versteckt halten, einfach, um Ihnen ein wenig Angst einzujagen. Und sie könnte jeden Augenblick zurückkommen ...«

»Es gab keinen Streit«, unterbrach ihn André. »Weder Mittwoch abend noch vorher. Es waren zwei Wochen vollkommener Harmonie, und nie, ich wiederhole, nie ist etwas Abnormales oder Ungewöhnliches in unserer Beziehung eingetreten. Guten Abend, Herr Laforgue!«

Guten Abend, Herr Laforgue! Er hatte ihn stehenlassen, ohne auf die Fragen des Detektivs zu reagieren, der sich über das Treppengeländer beugte und hinter ihm herrief.

Vielleicht hatte Laforgue recht, vielleicht war sein Bestreben, Einzelheiten zu erfahren, nicht krankhaft, sondern nur eine berechtigte Maßnahme, bevor er mit den offensichtlich schwierigen Nachforschungen begann. Das wurde André allmählich klar. Es wäre besser gewesen, wenn er wirklich alles gesagt und Laforgue über jedes Detail unterrichtet hätte. Er hatte von zwei Wochen vollkommener Harmonie gesprochen, doch das stimmte nur teilweise, denn in ihrer Beziehung hatte es immer etwas hintergründig Rätselhaftes, Unerklärliches gegeben.

Den Urlaub soll man inkognito genießen, hatte Weena gesagt. Zuerst war er auf dieses Spiel eingegangen und hatte ihr keinerlei Fragen über ihr Leben gestellt. Weena war ihm wie ein ungeheures Gebäude mit Tausenden von Zimmern vorgekommen, die alle verschieden waren, ein Labyrinth, in dem man sich gern verirrte, weil jede Laune der Phantasie sofort erfüllt wurde. Doch im Lauf der Zeit hatte ihn die Unbestimmtheit ihrer Beziehung allmählich beunruhigt. Es war unmöglich, mit Weena über die Vergangenheit zu sprechen, denn ihre Erinnerung reichte scheinbar nur bis zu dem Tag zurück, an dem sie einander am Strand von Saint Julien kennengelernt hatten.

André hatte Laforgue einiges verschwiegen. Er hatte ihm zum Beispiel nicht erzählt, daß er einmal Weenas Tasche durchstöbert hatte. Sie enthielt keine Papiere, kein Geld, nur ein paar Münzen ... und ein Säckchen mit Diamanten. Und vor allem hatte er eine Episode nicht erwähnt, die entsetzliche Episode in der Mittwochnacht. Weena lag neben ihm im Bett, als plötzlich ... Aber vielleicht hatte es sich nur um einen Traum gehandelt, einen Alptraum. Weena war am darauffolgenden Morgen verschwunden, vielleicht hatte sie das Haus sogar verlassen, bevor es hell geworden war. Zwischen dem Alptraum und ihrem Verschwinden bestand kein logischer Zusammenhang, dennoch ahnte André, daß eine gewisse Beziehung vorhanden sein mußte.

Auch jetzt, während er am Ufer saß und zum Horizont blickte, wo die riesige rote Sonne unterging, fügte er im Geist Worte und Bilder zu einem Mosaik zusammen, obwohl sie eigentlich nicht zusammenpaßten.

Weena war fort. Er begriff schlagartig, daß er sie *nie wieder* sehen würde. Weena war fort. Weena war fort.

Er hob einen Stein und warf ihn lustlos ins Wasser. Dann stand er auf und wanderte am Ufer entlang. Der Strand war leer. André schlug den Weg ein, der in einem Wäldchen aus Pinien und Eukalyptusbäumen begann.

Die abendlichen Schatten waren bereits sehr lang.

»Du mußt dich zerstreuen«, ermahnte Jean Aumont ihn beinahe väterlich. »In einer Woche mußt du wieder deinen Dienst antreten, und du siehst überhaupt nicht erholt aus.«

André schüttelte ärgerlich den Kopf.

»Was hast du denn?« fuhr Jean fort. »Kannst du deine Apathie wirklich nicht überwinden? Du befindest dich in einem jämmerlichen Zustand, und wenn ich daran denke, daß eine Frau daran schuld ist, möchte ich dich am liebsten ohrfeigen.«

André hatte den Kopf gesenkt und hob den Blick nicht von dem Teppichmuster.

»Hör auf mich«, fuhr sein Freund unbeirrt fort. »Verlasse Saint Julien auf einige Tage. Steig in dein Auto und fahre nach Biarritz. Es gibt Dutzende von Badeorten, in denen es von schönen Mädchen wimmelt. Du brauchst Abwechslung.«

André sah ihn eisig an.

»Du hast Weena kennengelernt, nicht wahr?«

»Ja, als ich dich auf Grund deiner Einladung in Saint Julien besucht habe. Inzwischen hatte sich jedoch das Mädchen in deinem Haus eingenistet. An diesem Tag habe ich mit euch beiden das schweigsamste Mittagessen meines Lebens eingenommen. Erinnerst du dich, ich habe nicht einmal ausgepackt, sondern bin am Nachmittag unter einem Vorwand wieder abgereist.«

»Du kennst sie also?«

»Natürlich, André, ich habe sie an diesem Tag kennengelernt.« Er schwieg einige Augenblicke bekümmert, weil er seinem Freund nicht helfen konnte. »Sie war sehr schön, wenn du das meinst. Ich weiß, es wird nicht leicht sein, einen Ersatz für sie zu finden.«

André schlug sich mit der Faust an die Stirn.

»Ich habe Angst, daß ich wahnsinnig werde.« Er stand auf und begann im Zimmer auf und ab zu gehen. »Wenn ich sie nur aus meiner Erinnerung löschen, wenn ich sie aus meinem Herzen reißen könnte ...«

»Hör auf mich«, wiederholte Jean. »Nimm einen Tapetenwechsel vor. Wenn die Woche, die du noch zur Verfügung hast, nicht genügt, damit du wieder auf den Damm kommst, kannst du sicher um Verlängerung ansuchen.«

»Es hat keinen Sinn«, jammerte André, der vor seinem Freund stehengeblieben war. »Vielleicht wäre es am besten, wenn ich sofort wieder ins Labor zurückkehre. Ich muß mich mit Arbeit betäuben, Jean. Ich werde mich im Laboratorium einschließen und erst wieder herauskommen, wenn mein Kopf wieder klar ist.«

Jean verzog das Gesicht und schüttelte mißbilligend den Kopf. »Deine Nerven sind überreizt, dein Gesicht ist abgezehrt, deine Augen geschwollen. Du kannst nicht schlafen, nicht wahr?«

»Nein«, gab André wütend zu. »Ich bemühe mich, nicht einzuschlafen, ich will nicht, daß die Nächte von Alpträumen erfüllt sind.«

»Alpträume? Jetzt übertreibst du aber.«

»Hör mal, Jean, du weißt nicht, was in der Nacht vor Weenas Verschwinden geschehen ist. Ich habe etwas Entsetzliches gesehen, und dieses Bild verfolgt mich immer noch, jeden Tag fällt es mir schwerer, es zu verscheuchen; jeden Tag bin ich immer mehr davon überzeugt, daß es sich um keine Halluzination gehandelt hat.«

Jean sah ihn mit aufgerissenen Augen an, und auf seinem großen, knochigen Gesicht standen Bestürzung und Staunen. »Beruhige dich.« Er versuchte, den Worten seines Freundes nicht zuviel Bedeutung beizumessen. »Was ist denn in dieser Nacht geschehen?«

André schenkte sich langsam ein, bevor er begann.

»Wir waren wie immer spät eingeschlafen. Dann brach mitten in der Nacht das Gewitter los, und ich fuhr aus dem Schlaf auf. Weena hatte sich an mich gedrückt und zitterte vor Angst. Sie hatte sich wie ein erschrecktes Kind in meine Arme geflüchtet. Draußen schien die Natur wahnsinnig geworden zu sein. Das Meer grollte wie ein erzürnter Riese, und der Wind heulte wie ein Rudel wilder Tiere. Von Zeit zu Zeit wurde es im Zimmer taghell. Ich schloß die Läden, aber das Licht der Blitze drang durch die Spalten, ich konnte die Möbel, die Gegenstände erkennen, und ...«

»Weiter.« Jean konnte jetzt seine Neugierde nicht verbergen.

»Ich habe Weena gesehen. Ich liebkoste sie gerade, als plötzlich ein besonders heller und langer Blitz das Zimmer erleuchtete. Jean! Ihr Gesicht war weiß wie Papier, und unter meinen zärtlichen Fingern weich und formlos. Und die Augen, ich kann diese Augen nicht beschreiben. Sie waren weiß und so groß wie Taschenuhren. Verstehst du, Jean? Neben mir im Bett lag ein Ungeheuer.«

Jean war gegangen. Er hatte André auf die Schulter geklopft und ihm zugezwinkert, als wolle er sagen, daß er diese Geschichte mit Weenas weißem Gesicht nicht allzu ernst nehmen dürfe. Für ihn war es klar: André war erschöpft und brauchte Ruhe und Ablenkung.

Damit hatte Jean recht. Aber André hatte keine Lust, Saint Julien zu verlassen, er wollte in Château Beauregard bleiben, auch wenn er dort ununterbrochen an Weena erinnert wurde. Er erwartete jeden Augenblick den überheblichen Laforgue oder wenigstens einen schriftlichen Bericht über das Ergebnis seiner Ermittlungen. Auch das war ein wichtiger Grund, warum er in Saint Julien blieb.

Während der nächsten Tage litt André unter einer schweren Depression. Er rief ein dutzendmal im Büro des Detektivs an: Luchsauge war nicht anwesend, und die Sekretärin teilte André mit, daß ihr Chef Bordeaux aus beruflichen Gründen verlassen habe. Er solle sich aber keine Sorgen machen, sie besaß seine Telefonnummer, und sobald Laforgue wieder da war, würde er ihn anrufen.

Eine Woche verging. André wartete gespannt auf die Post, fragte Gabriel, den Majordomus, zwanzigmal am Tag, ob kein Telegramm oder Anruf aus Bordeaux gekommen sei. Gabriel schüttelte mißbilligend den Kopf und zog sich murrend zurück.

Dann traf endlich Laforgue im Château Beauregard ein. Am Dienstagvormittag. André stand am Fenster und sah einen roten, staubbedeckten Kleinwagen durch das Tor fahren. Luchsauge durchquerte in Hemdsärmeln schweißbedeckt den Hof; den Rock trug er über dem Arm. André lief ihm entgegen.

»Ich habe einen Mordsdurst«, stellte Laforgue fest, bevor er ihm die Hand schüttelte. »Ist das eine Hitze!«

André führte ihn in den Waffensaal im Erdgeschoß. Laforgue sprach erst wieder, nachdem er zwei Gläser eisgekühlte Limonade getrunken hatte.

André zitterte vor Ungeduld. Der andere fuhr sich mit dem Handrücken über den Schnurrbart, suchte in seinen Taschen und zündete dann langsam eine Zigarette an.

»Die Rothaarigen können einen wirklich zur Verzweiflung bringen«, stellte er fest. »Ich habe es Ihnen ja gesagt, Doktor Clement. Die verdammte Färberei, Frankreich ist voller Rotschöpfe. Wissen Sie, wie viele Kilometer ich gefahren bin? Ich habe drei falsche Spuren verfolgt, bevor ich die richtige gefunden habe.«

»Gott sei Dank, es ist Ihnen also geglückt, Weena aufzustöbern. Wo befindet sie sich?«

Laforgue verzog das Gesicht und breitete niedergeschlagen die Arme aus.

»Einen Augenblick, Doktor, bitte mißverstehen Sie mich nicht. Sehen Sie, die erste Spur hat nach La Rochelle geführt. Es handelte sich um eine unechte Rothaarige, die Saint Julien am Nachmittag des siebenten verlassen hatte. Ich hätte sofort begreifen müssen, daß es nicht die richtige war, aber ...«

»Kommen wir zur Sache«, unterbrach ihn André. »Diese Details interessieren mich nicht. Erzählen Sie mir von der richtigen Spur, ich will wissen, wo sich Weena befindet.«

»In Roquefort, am Ufer der Douze. Vergangene Woche wurde sie dort gesehen, über zwanzig Personen haben es mir bestätigt. Rot, mit Sommersprossen auf den Armen, schwarze Samthose, Silbersandalen und leuchtend grüne Bluse. Es gibt keinen Zweifel, sie war es. Aber sie ist verschwunden. Ich habe das Gebiet Haus um Haus abgeklappert, habe die Umgebung, die Fabriken, die Spitäler und die Polizeistationen aufgesucht. Sie wissen ja, unsereiner hat überall Freunde und Bekannte ...«

Gabriel erschien mit einem kleinen Silbertablett. »Ein Brief für Sie, Doktor.« Der Majordomus blieb zwei Meter vor ihm stehen.

André sah ihn nicht einmal an, sondern machte eine ungedulige Bewegung, die Gabriel in schwere Verlegenheit brachte.

Dann stellte der Majordomus das Tablett auf eine intarsierte Truhe und verließ mit gesenktem Kopf den Raum.

»Fahren Sie fort«, wandte sich André an den Detektiv. »Erzählen Sie mir alles.«

»Das Mädchen hat Saint Julien mit einem Mietwagen verlassen. Ich habe den Fahrer aufgestöbert, einen Jungen namens René. Sie sind gegen acht Uhr früh in einem Höllentempo abgefahren; das Mädchen war schweißüberströmt und hatte es eilig, als wäre der Teufel hinter ihr her. René behauptet, daß sie einen merkwürdigen Eindruck auf ihn gemacht hat: sie war klitschnaß, die Haare klebten ihr im Gesicht. Die Straße war sehr schlecht, und sie haben über zwei Stunden bis Roquefort gebraucht. René behauptet, daß das Mädchen Angst hatte. Es saß auf dem Rücksitz und wirkte ausgesprochen mitgenommen. Er konnte Ihre Freundin im Rückspiegel beobachten. Während der ganzen Fahrt hatte sie ein Taschentuch über das Gesicht gebreitet. René hat nicht herausbekommen, ob sie das Licht der Blitze störte oder ob sie weinte und ihre Tränen verbergen wollte. Der Junge neigt zu letzterer Version, aber ich bin anderer Meinung ...«

»Und zwar?« fragte André mit zitternder Stimme.

»Das Mädchen hat den Fahrer bei der Abzweigung nach Saint Justin zurückgeschickt und ist in die Raststätte gegangen. Ich habe mit dem Geschäftsführer gesprochen; auch etliche Lastwagenfahrer haben es gesehen. Glauben Sie mir, Doktor, um elf Uhr vormittags können nicht lauter Betrunkene im Lokal gewesen sein. Der Geschäftsführer hat vertrauenswürdig gewirkt. Er behauptet, daß das Mädchen beinahe laufend hereingekommen ist und zwei oder drei Gläser Wasser getrunken hat, als brenne es innerlich. Dann ... dann hat sie sich nicht wohlgefühlt. Sie ist totenbleich und ihre Haut faltig und schlaff wie die einer alten Frau geworden. Der Geschäftsführer beschwört, daß ihr Gesicht sich ununterbrochen verändert hat, sie war einmal schön, einmal häßlich, und dann waren ihre Augen rund und groß und weiß wie Milch ...

»Das genügt.« Andrés Geduld war endgültig zu Ende. »Hören Sie auf, mir zu schildern, wie sie ausgesehen hat. Ich will wissen, was nachher geschehen ist, wohin sie gefahren ist, wo sie sich versteckt hat.«

Laforgue breitete wieder bedauernd die Arme aus.

»Sie ist verschwunden. Als sie schwankend das Lokal verließ, schlug sie den Weg in den Wald ein. Ich habe mit dem letzten Menschen gesprochen, der sie gesehen hat, einem Holzfäller, der einen Teil des Waldes gepachtet hat. Er behauptet, daß das Mädchen wie wahnsinnig an seiner Hütte vorbei in den Wald hineingelaufen ist. Kurz darauf hat er eine Art gedämpfter Explosion, einen Trommelwirbel gehört. Sonst nichts. Sicherheitshalber habe ich selbst im Wald nachgesehen. Nicht die geringste Spur. Das einzige Bemerkenswerte war ein runder Fleck mit einem Durchmesser von fünf oder sechs Metern, auf dem die Vegetation verbrannt ist, ungefähr eine halbe Meile vom Waldrand entfernt. Vielleicht hat sich das Gras von selbst entzündet, oder vielleicht ... Ich habe auch schon an ein Zigeunerlager gedacht.«

André hörte ihm nicht mehr zu; unkontrollierte Erregung hatte ihn erfaßt. Es war ein unbestimmtes, dumpfes Gefühl, das sich jedoch nach und nach in eine immer deutlichere Vorstellung verwandelte, bis ... Mein Gott! Diese Annahme war hirnrissig. Er durfte seiner Phantasie auf keinen Fall erlauben, ihm einen solchen Streich zu spielen! Weena war fort. Aber wer war Weena eigentlich? Er sah immer noch das weiße Gesicht vor sich, das unter seinen Fingern plötzlich weich geworden war, die großen, hervortretenden Augen, die im Licht der Blitze wie Gelatinekugeln glänzten ...

Laforgue verabschiedete sich. Für ihn war der Fall abgeschlossen, aber falls André weitere Informationen benötigte ...

André begleitete ihn zur Tür. Dann blieb er gedankenlos auf der Treppe stehen und sah dem staubbedeckten Kleinwagen nach, dessen Motor empört aufheulte.

Der Majordomus riß ihn aus seinen Gedanken.

»Der Brief, Herr Doktor«, erinnerte er ihn. »Er liegt im Waffensaal auf der Truhe.«

André ging wie ein Schlafwandler in den Waffensaal zurück. Noch bevor er den Brief in Händen hielt, spürte er, daß er von Weena kam. Merkwürdigerweise hatte er es überhaupt nicht eilig, ihn zu lesen: Er war zu einer wichtigen Erkenntnis gelangt, zu einer deutlichen, instinktiven Gewißheit.

Er fuhr mit den Fingern über das rauhe, zerknitterte Kuvert voller Flecken und Risse. Name und Adresse waren mit großen, kindlichen Schriftzügen daraufgemalt. Er riß den Umschlag langsam, beinahe widerstrebend auf: vier Blätter ohne Datum, Buchstaben, die immer unsicherer und müder, beinahe unleserlich wurden, und schließlich mit riesigen Buchstaben die Unterschrift WEENA.

Die Erregung erfaßte ihn wieder, eine Welle von Erinnerungen überflutete ihn. Dann kehrte die Gleichgültigkeit zurück, als würde das Durcheinander von Gefühlen und Gedanken nicht ihn, sondern einen Fremden betreffen.

Er las.

»Lieber André, so beginnt man ja einen Brief, nicht wahr? Ich muß Dich um Verzeihung bitten: Ich habe in Dir eine Illusion erweckt, obwohl ich gewußt habe, daß sie nicht von Dauer sein kann. André, mein André, mein einziger, unerreichbarer Geliebter. Wenn Du diesen Brief erhältst, bin ich fern von Dir, jenseits von Zeit und Raum, jenseits jeder vorstellbaren Grenze. Frage nicht, wo ich bin, versuch nicht zu verstehen, Du kannst es nicht. Aber ich schulde Dir zumindest eine Erklärung, auch wenn ich weiß, daß es mir schwerfallen wird, Dich zu überzeugen. Du hast ein Recht darauf zu erfahren, warum ich geflohen bin. Also ... Es ist nicht leicht, André. Wenn Du einen Augenblick lang wieder zum unschuldigen, gläubigen Kind werden könntest ... Versuch, Dir eine ferne Welt vorzustellen, eine Welt wie viele andere, wie die Deine, auf der man leidet und sich freut, eine Welt mit Wesen, die sich von Dir unterscheiden und deren Anblick Dir entsetzlich erscheinen muß. Und jetzt stell Dir eine Hexe vor, die über besondere Kräfte verfügt, die ihr Aussehen nach Wunsch verändern kann, die aber traurig und unglücklich ist, weil ihr die Natur die Fähigkeit, Mutter zu werden, versagt hat. Dann stell Dir ein Mittel dagegen vor, ein wunderbares Kraut, das der Hexe die Erfüllung der Mutterschaft schenken kann. Ich weiß, jetzt hältst du mich für eine daherfaselnde Irre oder denkst an einen schlechten Witz. Dennoch, auch wenn Dir meine Schilderung absurd und irreal vorkommt, sie ist die Wahrheit. In der Welt, aus der ich komme und auf die ich jetzt zurückkehre, stelle ich eine seltene Anomalie dar: Kein Mann meiner Spezies kann mich zur Mutter machen. Doch Du kannst es. Du oder jeder andere Mann von Deiner kleinen Welt. Deshalb bin ich zu euch gekommen. Erinnerst Du Dich, André, wie wir einander am Strand kennengelernt haben: Du lagst wie eine schöne Bronzestatue in der Sonne. Dennoch empfand ich Widerwillen, weil wir so verschieden sind, mein Geliebter. Frag mich nicht, wie ich es geschafft habe, Dich liebzugewinnen. Kann sich die Bienenkönigin in eine Drohne verlieben? Denn eben das ist eingetreten, André. Ich spürte, wie mein wahrer Körper, den ich hinter dem für Dich so anziehenden Äußeren verbarg, täglich, stündlich dem Deinen ähnlicher wurde: Neben Dir zu leben war so, als stiege ich zu einer gemeinsamen, ursprünglichen Matrix hinunter. An den sonnigen Nachmittagen und in den tiefen Nächten war Dein Körper wie eine Ergänzung des meinen. Und ich habe Dich geliebt, André. Hingebungsvoll, bedingungslos, mit meinem ganzen Wesen. Und dann ... ich denke an unsere letzte gemeinsame Nacht, als das Licht der Blitze das Zimmer erhellte und du einen Augenblick lang mein wirkliches Äußeres erkennen konntest. Nein, André, es war keine Halluzination. Damals konnte ich beinahe Deine Gedanken lesen, und ich habe das Entsetzen erraten, das Dich erfaßt hatte. Erinnerst Du Dich? Ich wollte, daß Du Licht machst, ich wollte mich Dir mit einer äußersten Anstrengung noch einmal im Glanz meiner scheinbaren Schönheit zeigen. Du weißt nicht, wie sehr ich gelitten habe: Du hieltest mich fest, Du drücktest mich an Dich, als wolltest Du jeden Zentimeter meiner Haut, die Elastizität meiner Gewebe, die Festigkeit meines Fleisches prüfen. Es war eine Täuschung, André. Ich erschien Dir dank eines bestimmten Willensaktes schön. Eine Hexe ist dazu fähig. Aber Du weißt nicht, wieviel Lebensenergie es mich gekostet hat, neben Dir zu bleiben, Dir immer, jeden Augenblick des Tages und der Nacht, schön zu erscheinen. Du kennst nicht die Verzweiflung, die wahnsinnige Angst vor dem schrecklichen, demütigenden Augenblick, in dem ich nicht mehr imstande gewesen wäre, die Zellen meines Organismus zu beherrschen. Wir sind vierzehn Tage, lange und kurze Tage, beisammen gewesen, ein Urlaub der Liebe, der meine Jugend verbrannt hat. Ich wußte es, André, und bin dennoch bei Dir geblieben. Jetzt bin ich beinahe alt, erschöpft: eine Liebkosung von Dir würde genügen, um meine Auflösung oder meinen Tod herbeizuführen. Verstehst Du jetzt, warum ich geflohen bin? Verzeih mir. Ich kehre mit einem Schrein voll kostbarer Erinnerungen in die Ferne jenseits von Zeit und Raum zurück. Und werde ein Kind zur Welt bringen, die Erfüllung einer schönen, unmöglichen Liebe. Ja, André, ich bin meiner Sache sicher, auch wenn Du der einzige gewesen bist. Mein Instinkt kann mich nicht täuschen. Sonst wäre mein ganzes Leben sinnlos gewesen: das Geheimnis der Liebe ist groß, aber die Mutterschaft ... Glaube mir, ich konnte nicht anders handeln. Auf immer die Deine. WEENA.«

»Gabriel!« rief André. »Kommen Sie her. Wer hat diesen Brief gebracht?«

»Er lag im Briefkasten, Herr Doktor.«

Doktor, Doktor, Doktor. Er war verrückt, blind, unwissend, das war er.

Er öffnete das Fenster zum Meer, stützte sich auf die Brüstung und murmelte: »Weena!«

Die arme, arme Frau, die von einer versiegten Quelle getrunken hatte. Eine Hexe kann vieles, natürlich. Die Weisheit einer Hexe ist beinahe unbegrenzt. Doch es gibt eine Grenze, von der Banalität, vom Zufall gezogen.

André fuhr sich mit der Hand über die Stirn. Ein ganzes Leben verbraucht in einer wahnwitzigen Liebe. Ein sinnloses Opfer.

Er verließ das Haus wie ein Betrunkener, lief durch Gärten und Gebüsch hinunter zum Meer, zum leeren Strand, lief immer weiter und dachte nach. Das Biologische Zentrum, fünf Jahre im Laboratorium. Fünf Jahre, in denen er täglich der radioaktiven Strahlung ausgesetzt gewesen war.

»Weena!« rief er. Das Meer verschluckte seine Stimme.

Denn André war steril.

Die Neugierigen

»Nimm mich mit, Hur«, wiederholte der junge Kolboe immer wieder. »Ich weiß, daß du in deinem neuen Raumschiff einen riesigen Bildschirm hast, der selbst die kleinsten Einzelheiten sichtbar macht ...«

Hur hörte ihm nicht zu. Er überquerte mit großen, schnellen Schritten den weitläufigen Raumhafen, und Kolboe trippelte hartnäckig neben ihm her. »Du hast es mir versprochen, Hur. Warum tust du jetzt, als hättest du es vergessen? Ich werde dich überhaupt nicht stören, sondern still in einem Winkel hocken.«

Hur blieb hart. »Ein anderes Mal, Kolboe. Die Reise, die ich jetzt vorhabe, ist nichts für dich. Ich werde längere Zeit fortbleiben.«

»Um so besser. Ich habe ohnehin nichts zu tun.«

»Außerdem könnte die Reise gefährlich sein.«

»Ich liebe die Gefahr. Bitte, nimm mich mit.«

Hur verlor die Geduld. »Nein. Verschwinde endlich!«

Sie hatten das Raumschiff erreicht. Kolboe packte ihn am Arm. »Nimm mich mit, bitte!«

Seine Stimme klang verzweifelt, tausend unerfüllte Wünsche schwangen mit. Hur kehrte im Geist in seine eigene Jugendzeit zurück, als er voll Begeisterung um die Raumhäfen herumschlich und jemanden suchte, der bereit war, ihn in den Weltraum mitzunehmen. Später hatte er sich ein eigenes Raumschiff leisten können und es mit den präzisesten und modernsten Instrumenten ausgerüstet. Aber wie oft hatte er, bis es soweit war, jemanden genauso angefleht wie der Junge neben ihm.

Kolboe hielt noch immer seinen Arm fest, und Hur gab unvermittelt nach.

»In Ordnung. Steig ein. Aber komm ja nicht auf die Idee, mich darum zu bitten, daß ich dich an das Steuerpult lasse. Klar?«

Kolboe gelangte zum ersten Mal über den Dritten Sprung hinaus. Das Raumschiff raste mit unglaublicher Geschwindigkeit von Stern zu Stern. Kolboe stand am Bullauge und beobachtete, wie sich das Muster des Raums zusehends veränderte.

»Wohin fliegen wir?« fragte er beunruhigt.

»Über den Fünften Sprung hinaus.«

»So weit ist noch nie jemand gekommen.«

»O doch, ich«, erklärte Hur. »Mehr als einmal.«

»Und hast du etwas Interessantes gefunden?«

»Nicht viel. Es ist ein Gebiet, in dem es nur wenige Sterne gibt, und die meisten Planeten sind von einer dichten Wolkenschicht umgeben, gegen die sogar mein Teleobjektiv machtlos ist.«

»Wie oft bist du gelandet?«

»Oft. Aber das ist lange her, damals war ich noch jung. Meinen Beobachtungen zufolge ähneln diese Planeten einander, sind meist unbewohnt, und nur in einzelnen Fällen hat das Leben auf ihnen einen Entwicklungsstand erreicht, der genauere Untersuchungen rechtfertigt.«

»Und was befindet sich jenseits des Sechsten Sprungs?«

»Nichts. Jenseits des Sechsten Sprungs muß das Leben erst entstehen, und vielleicht wird es nie soweit kommen. Anscheinend ist unsere Spezies in der Galaxis tatsächlich die am höchsten entwickelte.«

Kolboe schwieg. Er hatte das große Buch des Universums nur zum Teil durchgeblättert, während Hur es beinahe zur Gänze studiert hatte. Nun blieben nur noch die Randbemerkungen übrig, die letzten Funken und Tropfen, und auf diese stürzte er sich im vergeblichen Bemühen, seinen unlöschbaren Wissensdurst zu stillen.

Der große, sphärische Bildschirm im Zentrum des Steuerraums war beleuchtet. Hur beobachtete ungeduldig die Umdrehung der Kugel, die wie ein großes Auge die Abgründe im Weltraum erforschte.

»Sieh doch!« rief Kolboe plötzlich. »Ein Raumschiff!«

Hur drehte das Teleobjektiv in die angegebene Richtung. »Nichts Interessantes«, murmelte er, während er das Bild betrachtete. »Ich habe schon früher Raumschiffe dieses Typs getroffen.«

»Wer sind sie?« fragte Kolboe, der unfähig war, seine Erregung zu beherrschen.

»Ich habe schon einmal gesagt, daß sie uninteressant sind.«

Hur zog das Teleobjektiv ein und fügte hinzu: »Hab Geduld. Sofort nach dem Fünften Sprung kannst du deine Neugierde befriedigen. Während meiner letzten Reise habe ich in diesem Gebiet regen Verkehr festgestellt.«

Hur verließ den Bildschirm und las einige Instrumente ab, doch ein Schrei von Kolboe holte ihn zurück.

»Noch ein Raumschiff!« Kolboe zeigte auf den Bildschirm.

Hur stellte eilig das Teleobjektiv ein. »Es sieht sphärisch aus und ist ziemlich schnell.«

»Über was für ein Navigationssystem verfügt es?«

»Zweifellos ein elektromagnetisches.«

Hur schaltete den Tarnschirm und den Massen-Antidetektor ein. Dann ging er auf einen neuen Kurs und verfolgte das fremde Raumschiff. Wenige Sekunden später hatten sie es eingeholt.

»Jetzt stören wir die Kraftlinien ihres Magnetfeldes, und sie müssen den Flug verlangsamen. Dann werden wir allmählich die Intensität des Gegenfeldes verstärken, bis sie zum Stillstand kommen.«

»Warum allmählich?« wollte Kolboe wissen. »Kann man sie nicht schlagartig anhalten?«

»Ihr Navigationssystem ist ziemlich primitiv. Wahrscheinlich verfügen sie über keine automatische Schutzeinrichtung für radikale Verzögerungen. In diesem Fall könnte der plötzliche Stillstand zu ihrem Tod führen.«

»Ich möchte sie sehen«, verlangte Kolboe.

Hur drückte auf einen Knopf, und der große, kreisrunde Bildschirm wurde hell. Wellenförmige oder Zickzack-Linien, rötliche, pulsierende Flecke, die rasch größer wurden und ebenso rasch wieder zerfielen. Dann hörten diese Erscheinungen allmählich auf. Jetzt waren die Antriebsaggregate deutlich zu erkennen, auch die Rohrleitungen, die Kabel und die Anti-Schwerkraftanlagen. Hur spielte auf den Tasten des Bildschirms, bis er die Unterkünfte erfaßt hatte.

Kolboe erschauerte vor Abscheu. »Sie haben drei Augen. Sieh sie dir doch an, Hur, vor allem ihre Hände: sie verfügen über Membranen und sieben Finger.«

Hur betrachtete die Fremden. Ihre Haut war grün mit gelben und schwarzen Flecken. In der Halsgegend pulsierten zwei durchscheinende Säckchen rhythmisch, die abwechselnd prall und schlaff wurden, und die Augen – eines auf der Stirn und zwei am Scheitel – waren blutunterlaufen.

Die Mannschaft war ziemlich zahlreich. Hur zählte fünfunddreißig Mitglieder und außerdem etliche, die in den oberen Schlafräumen ruhten.

»Sie sprechen nicht«, stellte Kolboe fest. »Vielleicht verständigen sie sich telepathisch.«

»Das glaube ich nicht. Sie schweigen, weil ihre Instrumente unsere Anwesenheit nicht anzeigen. Schauen wir einmal, wie sie auf die Herabsetzung der Geschwindigkeit reagieren.«

Hurs Hände glitten über die Instrumente. »Verlier den Kontakt nicht und beobachte ihre Reaktion.«

Sie warteten geduldig.

»Ich habe den Eindruck, daß sie vor sich hindösen«, meinte Kolboe. »Die Geschwindigkeit ist jetzt um zwei Drittel geringer, aber sie bemerken es anscheinend nicht. Sie müssen doch über recht gute Schutzvorrichtungen gegen die Verzögerung verfügen.«

Unvermittelt drang wildes Gebrüll aus dem Lautsprecher. Das grüne Wesen, das vor dem Kurskoordinator saß, war aufgesprungen und gestikulierte aufgeregt. Seine Gefährten umringten es sofort.

Hur und Kolboe vernahmen unverständliche Töne, die abwechselnd tief und guttural oder hoch und durchdringend klangen.

»Schalte den Registrator ein«, schlug Hur vor. »Später können wir versuchen, ihre Gespräche zu entziffern.«

»Sie dir einmal diese Gruppe an«, deutete Kolboe. »Der mit dem roten Raumanzug muß der Kommandant sein.«

Dutzende Lämpchen leuchteten auf und erloschen wieder. Die Mitglieder der Besatzung, die in den oberen Räumen geruht hatten, stürzten hinunter; offensichtlich hatte ein Alarmsignal sie geweckt. Unzählige siebenfingrige Hände begannen, die Einrichtungen und Stromkreise des Raumschiffs zu überprüfen. Alle waren fieberhaft tätig, kein einziges Besatzungsmitglied war unbeschäftigt.

»Sie tun mir leid«, murmelte Hur, der ihre Bemühungen beobachtete, »aber andererseits muß ich sie auch bewundern. Sich mit einem so primitiven Flugkörper in den Raum zu wagen! Ich hätte nicht den Mut dazu, und du auch nicht, Kolboe, auch wenn du normalerweise kühn und unternehmungslustig bist. Wir müßten in unserer Spezies fünfhundert Generationen zurückgehen, um jemanden so ...«

»Schluß«, unterbrach ihn Kolboe. »Ich kann ihre Stimmen und ihren Anblick nicht mehr ertragen. Ich hätte Lust, sie zu vernichten.«

»Beruhige dich. Du reagierst genauso impulsiv wie alle jungen Leute. Vergiß nie, daß das Leben heilig ist und in allen seinen unendlichen Erscheinungsformen respektiert werden muß. Wir haben unsere Neugierde befriedigt und lassen sie jetzt weiterfliegen, wie wir es immer gehalten haben.«

Nach dem Essen sammelte Hur langsam die Abfälle und die gebrauchten Verpackungen ein. Dann trat er zu einem großen runden Deckel, hob ihn hoch und warf alles hinein. Es handelte sich um eine Maschine, die die Materie vernichtete. Hur betätigte einen Hebel, wartete einige Augenblicke und drückte dann auf einen Knopf. Leises Summen ertönte, ein hartes, metallisches Klicken, dann leises Knistern. Daraufhin schob Hur den Hebel wieder in die Grundstellung.

»Und jetzt?« fragte Kolboe. »Fliegen wir weiter?«

Sie hatten ein Dutzend Raumschiffe festgehalten und wieder freigegeben, und Hur war müde. Auf dem Bildschirm hatten die Bilder von seltsamen Wesen gewechselt, und die Aufzeichnungen waren auf unzählige Magnetspulen festgehalten. Doch je weiter sie vordrangen, desto geringer wurde der Intelligenzgrad der Lebensformen und desto primitiver die Raumfahrzeuge.

Hurs Schiff erforschte jetzt den Raum am Rand des Sechsten Sprungs. Meteorschwärme, riesige rote Sterne und weiße Zwerge zogen am Bullauge vorbei; dank der Raum-Zeit-Verzerrungen, die das Raumschiff vor sich erzeugte, wurden Tausende Lichtjahre in wenigen Augenblicken durchflogen.

Hur war im Begriff umzukehren. »Ich fürchte, daß in dieser Gegend die Raumfahrt noch unbekannt ist. Fliegen wir lieber zurück.«

Er verringerte die Geschwindigkeit merklich und drang in das normale, dreidimensionale Kontinuum ein.

In diesem Augenblick bemerkte Kolboe auf dem Bildschirm den Lichtpunkt, der langsamer als das Licht unterwegs war, und der ihnen entgangen wäre, wenn Hur nicht gebremst hätte.

»Sehen wir einmal nach«, schlug Kolboe vor.

Hur lachte. »Laß es bleiben. Es ist sicherlich nicht der Mühe wert.«

Aber Kolboe bestand darauf, und Hur gab schließlich nach.

Es handelte sich um ein unscheinbares Raumschiff. Hur hatte noch nie einen so winzigen Flugkörper gesehen.

»Schau dir das an«, sagte er erstaunt. »Mein Bildschirm kann es in natürlicher Größe wiedergeben.«

»Schalten wir den Sucher ein«, schlug Kolboe vor. »Ich möchte das Innere sehen.«

Hur betätigte wieder die Tastatur. Doch es gelang ihnen nicht, das Innere des kleinen Schiffs deutlich auf den Schirm zu bekommen.

»In dem Raumfahrzeug gibt es keine Mannschaft«, erklärte Hur. »Alles ist mechanisch. Wahrscheinlich handelt es sich um eine Raumsonde mit automatischer Steuerung.«

»Ich will wissen, was es enthält«, ließ Kolboe nicht locker.

»Es handelt sich um eine mechanische Anlage«, antwortete Hur. »Hol sie heran und öffne sie. Du wirst nur wenig Interessantes finden.«

»Ich hole es trotzdem.« Kolboe zog schon den Raumanzug an.

Kurz darauf kehrte er mit dem kleinen Raumschiff in den Armen zurück. Es war kaum länger als der Tisch. Hur tastete die Wände der Sonde mit einem hochempfindlichen Instrument ab.

»Der Innendruck entspricht beinahe genau den Verhältnissen in unserem Raumschiff. Wir können es öffnen.«

Mit einer elektromagnetischen Pinzette öffnete er die Tür. Seine hakenförmige Hand griff hinein und holte zwei Wesen heraus, die nicht einmal halb so lang wie sein Arm waren.

Kolboe unterdrückte nur mit Mühe eine angewiderte Gri-mas-se.

»Nur zwei Augen«, stellte er fest, »und nur zwei Arme. Die sind ja noch scheußlicher als alles, was wir bisher zu Gesicht bekommen haben. Leg sie hin; macht es dir denn nichts aus, so etwas in der Hand zu halten?«

»Rede keinen Unsinn. Sie sind künstlich. Siehst du denn nicht, wie steif sie sind und wie sie das Licht widerspiegeln? Sie glänzen metallisch. Außerdem sind sie vollkommen gleich. Es handelt sich um Serienfabrikate.«

»Automaten«, seufzte Kolboe erleichtert auf. »Warum baut man sie aber so unzugänglich, warum haben sie nur zwei Arme?«

»Jede Spezies konstruiert die Automaten nach ihrem eigenen Aussehen. Leider sind die Apparaturen dieses winzigen Raumschiffs beschädigt. Ich hätte sie gern in Bewegung gesehen und gewußt, wie die Stromkreise geschaltet sind. Doch die Stromkreise sind durchgebrannt, als wir das Raumschiff aufgehalten haben, und ich habe keine Lust, sie wieder instandzusetzen.«

»Wer weiß, wohin es unterwegs war«, murmelte Kolboe.

»Bestimmt zu keinem weit entfernten Planeten. Wir müßten ziemlich komplizierte Berechnungen anstellen, um ihr Ziel zu ermitteln. Dann könnten wir das Raumschiff auch wieder instandsetzen und auf seinen alten Kurs bringen. Wenn wir dadurch ein Leben retten könnten, und sei es auch das des widerlichsten Wesens im All, würde ich mich gern an die Arbeit machen. Aber glaube mir, zwei Automaten sind die Mühe und die Zeit nicht wert.«

»Du hast recht«, stimmte Kolboe ein. »Müssen wir das Zeug behalten?«

»Wenn du willst. Mit ein bißchen Geduld könntest du die beiden Automaten instandsetzen und dazu bringen, daß sie sich bewegen. Aber es würde sich nur um ein primitives, unvollkommenes Spielzeug handeln.«

»Das stimmt. Werfen wir sie raus.«

»Du überlegst noch immer viel zu wenig«, meinte Hur vorwurfsvoll. »Wann wirst du endlich begreifen, daß Abfälle, auch wenn sie noch so klein sind, nie im Weltraum umhertreiben sollen? Öffne lieber den Deckel des Materialvernichters.«

Kolboe gehorchte. Hur hob mit seinen acht kräftigen, behaarten Armen das Raumschiff hoch und warf es in die Öffnung. Dann kehrte er zum Tisch zurück und holte die beiden silbernen Automaten. Während er sie in den Vernichter fallen ließ, ruhten seine fünf Facettenaugen auf den beiden kleinen Mechanismen.

Kolboe schloß den Deckel und betätigte den Hebel. Die bewegliche Plattform, die die Abfälle in den Vernichtungsraum transportierte, knirschte. Hur drückte auf den Knopf. Ein Zischen, ein Knall, dann das Knistern der Flammen.

»Wir fliegen zurück«, erklärte Hur. »Ich bekomme allmählich Heimweh.«

Der Mann krempelte die Hemdsärmel hoch und setzte sich vor den dampfenden Teller.

»Lies mir bitte die Zeitung vor«, bat er seine Frau. »Heute habe ich nicht einmal eine Minute Zeit gehabt, um die letzten Nachrichten zu lesen.«

Sein Rock hing über der Lehne des Stuhls neben ihm; die zusammengefaltete Zeitung steckte in der Tasche. Die Frau zog sie heraus und breitete sie auf dem Tisch aus.

Ihre Augen überflogen die Spalten und suchten die wichtigsten Nachrichten; müde und unwillig wie eine Schülerin, die ihre Lektion noch einmal aufsagen muß, murmelte sie die Titel halblaut vor sich hin. Das Fenster stand offen. Von draußen drangen die Geräusche des späten Nachmittags herein: Unten im Hof weinte ein Kind, hinter den halb geöffneten Türen der Nachbarwohnungen klirrte Geschirr, auf den umliegenden Feldern ratterten die Mähdrescher.

»Na und, was steht in der Zeitung?« brummte der Mann zwischen zwei Löffeln.

»Die üblichen Geschichten. Nächsten Monat soll die Atomenergie teurer werden.«

»Diese Schweinehunde! Was noch?«

»Die Jupitermonde verlangen eine autonome Verwaltung, aber die Vereinten Regierungen haben die Forderung abgelehnt.«

»Das nützt ihnen überhaupt nichts. Früher oder später bekommen sie sie doch. Auf dem Mars und der Venus war es genauso.«

Die Frau blätterte weiter. Dann fiel ihr eine Schlagzeile auf, die über drei Spalten ging: »Die ›Sidereus‹-Mission ist gescheitert. Eine offizielle Erklärung des Ministeriums für Raumforschung.«

»Na sowas!« rief ihr Mann. »Sie haben fünf Jahre gebraucht, bis sie es offiziell zugegeben haben.«

»Fünf Jahre?«

»Ja, die ›Sidereus‹ sollte im Jahr zweitausendfünfundneunzig zurückkehren.«

Er nahm einen kräftigen Schluck Bier und biß in ein Butterbrot. »Lauter Versager«, murrte er. »Worauf haben diese Schwachköpfe im Ministerium eigentlich gewartet? Wenn es nach mir ginge, würde ich sie alle in eine Rakete sperren und in die Sonne schießen.«

Seine Stimme war immer lauter geworden.

»Beruhige dich, Oliver«, bat die Frau. »Fang nicht schon wieder mit deinen Schimpfkanonaden an. Du protestierst immer gegen alles und alle.«

»Halt den Mund«, fuhr der Mann sie an. »Ich sage dir,es handelt sich um lauter Vollidioten. Ein Raumschiff soll Alpha Centauri umkreisen? Hat man so etwas schon gehört!

Und niemand hat etwas gesagt, niemand hat Einspruch erhoben, alle waren damit einverstanden. Natürlich, es gibt genügend Verrückte, die bereit sind, eine solche Reise anzutreten, und unter den Steuerzahlern hat nur Oliver Driscoll den Mut zu protestieren – kein Wunder, daß diese blödsinnigen Unternehmungen immer häufiger stattfinden.«

Er riß ihr die Zeitung aus der Hand und begann aufgeregt, den Artikel halblaut zu lesen. Bei jedem Punkt machte er sich mit ein paar Schimpfwörtern Luft.

»Hör doch auf, Oliver. Ich begreife nicht, warum du dich so aufregst.«

»Halt den Mund! Du kannst es nicht wissen, du hast noch mit Puppen gespielt und ich war erst achtzehn, als Daniel und Robert O'Sea abgeflogen sind. In dieser Nacht habe ich nicht geschlafen, sondern immerzu nachgedacht. Und in allen darauffolgenden Nächten auch. Kaum war es um mich dunkel, fielen mir die beiden ein, die in der Kapsel eingeschlossen waren. Jetzt haben sie das Sonnensystem verlassen, dachte ich. Bald werden sie die automatische Steuerung einschalten, dann werden sie auf einen Knopf drücken und in eine Art Scheintod verfallen. Gas, kataleptisches Gas, Gas im Überfluß. Wer weiß, wie lange sie unbeweglich, steif wie Leichname, mit der Silberpatina auf dem Gesicht in der Kabine gelegen haben.«

»Silber? Was redest du da, Oliver?«

»Ja, Silber. Wenn sich das Gas, das zum Scheintod führt, abkühlt, schlägt es sich in winzigen Kristallen auf dem Gesicht des Betreffenden nieder.« Er nickte bedächtig, bevor er fortfuhr. »Es ist ein Wahnsinn gewesen. Zwei Menschenleben einem aus über sechshunderttausend Einzelteilen bestehenden Mechanismus anzuvertrauen. Sechshunderttausend! Niemand wird jemals erfahren, was nicht funktioniert hat. Vielleicht hat sich die Vorrichtung, die sie in der Nähe von Alpha Centauri wecken sollte, nicht eingeschaltet, und das Raumschiff ist auf der Oberfläche einer unbekannten Welt zerschellt. Es ist entsetzlich.«

In der Mitte der großformatigen Zeitungsseite befand sich eine Fotografie, auf der zwei junge Männer im Raumanzug zu sehen waren. Ihre Gesichtszüge waren vollkommen, sie waren schön wie Apoll.

»Daniel und Robert O'Sea«, seufzte der Mann.

Die Frau betrachtete ebenfalls das Bild.

»Welcher von ihnen ist Daniel?« fragte sie. »Der links oder der rechts?«

»Wer kann das schon sagen«, antwortete ihr Mann. »Nicht einmal ihre Mutter konnte sie auseinanderhalten. Sie waren eineiige Zwillinge.«

Die letzte Wahrheit

Zerk und Kud. Rings um uns gibt es nur Zerk und Kud, weiße Monster und rote Monster, die rasch in den Bahnen des Lebens dahingleiten.

Es ist heute schwierig festzustellen, wie alles begonnen hat. Die Ursprünge liegen weit zurück, inzwischen ist zuviel Zeit vergangen, und im Speicher meiner Erinnerungen finde ich nur Vermutungen.

Es gibt keine nachträglichen Beweise. Wer weiß. Vielleicht hat es sie einmal gegeben, aber man hat sie vernichtet. Vernichtet oder versteckt. Mir stehen nur Hypothesen zur Verfügung. Hypothesen, Hypothesen und noch einmal Hypothesen. Keine einzige gesicherte Tatsache, kein einziger Fixpunkt, auf dem ich die Pyramide meiner Ansichten errichten kann.

Hortz behauptet, daß die Mathematik Wunder wirken kann. Das leugne ich nicht. Aber die Mathematik ist eine Schöpfung unseres Geistes, ihre Formeln und ihre Schlüsse stellen ein vollkommen vom Gegenständlichen getrenntes, geistig-abstraktes Denksystem dar. Hortz behauptet das Gegenteil, aber was sind Hortz' Worte wert? Seine Vorträge können sowohl die Quintessenz der Wahrheit als auch der größte Betrug aller Zeiten sein.

Der mürrische alte Mann mit den metallgrauen Augen, dessen Worte oft für mich keinen Sinn ergeben, kommt mir gelegentlich vollkommen verrückt vor. Oder vielleicht bin ich verrückt, ich, der ewig Gefangene meines eigenen Geistes, der in ein Labyrinth von Ideen eingeschlossen ist, aus dem kein Weg hinausführt.

Überlegen wir einmal. Hortz ist verrückt. Gibt es ein Kriterium, mit dem ich diese Behauptung erhärten kann? Schon hier verwirren sich meine Gedanken. Um die Gültigkeit meiner Ideen zu beweisen, um auch nur ein einfaches »Ja« oder »Nein« aussprechen zu können, muß ich mich auf die selbstkritische Kraft meiner eigenen Gedanken verlassen. Ein vollkommener Teufelskreis. Ein sinnloses Spiel, in dem sich jeder Beliebige in den Mittelpunkt des Systems stellen und behaupten könnte, daß sich die ganze Wirklichkeit um ihn dreht.

Manchmal frage ich mich, ob diese Kanäle, diese Flüsse und diese flüssigen Zellen aus Stille und Entsetzen wirklich sind. Ich schließe mich in meine Kapsel ein, schalte den Antrieb ein und bin sicher, daß sie mich ans Ziel bringen wird. Ich gleite mit wahnwitziger Geschwindigkeit durch den mit Flüssigkeit gefüllten Raum, als wolle ich ihn herausfordern. Erlebe ich das alles wirklich? Oder handelt es sich um einen Traum? Es gibt Augenblicke, in denen das Feuerrad der Zahlen und Formeln, die ständig in meinem Geist aufblitzten, die einzige nicht zu bezweifelnde Realität darstellt.

Hortz begnügt sich damit zu lächeln. Vielleicht kennt auch er die Wahrheit nicht, vielleicht wird auch er von Zweifeln geplagt und müht sich in einem Gewirr von Fragen ab, auf die es keine Antworten gibt.

Die Logik.

»Die Logik ist die Mutter jeder Wissenschaft«, behauptet Hortz. Ich habe den Eindruck, daß er das Universum mit dem grauen Feuer seiner Augen in Brand setzen will.

»Hör zu«, beginnt er und schnippt mit den Fingern. »Wenn die Vernunft es schafft, sich von ihrer Bindung an die Sinne zu befreien, erreicht sie erstaunliche Ergebnisse. Denk an die Theorie der Hyperräume, an die unendliche Menge der verschiedenen Kardinal- und Ordinalzahlen, an die Theorie der Abstrakten Gruppen, an die Theorie der funktionellen Operatoren, der plurivalenten Logiken ...«

Der übliche Vortrag. Ein Vortrag, den ich Wort für Wort auswendig kenne. Hortz ist nur ein blasses Gespenst. Wenn er mit kalter, unpersönlicher Stimme zum hundersten Mal seinen Lehrsatz darlegt, empfinde ich wider Willen seltsame Angst. Ich betrachte den Schatten eines Menschen, der vor mir steht, und ich zittere, sehe nur die grauen, blitzenden Augen eines alten Mannes, dessen Körper der Auflösung nahe ist.

Hortz ist ein großartiger Mathematiker. Ich hingegen bin nur ein Schüler, vielleicht der beste meiner Klasse, aber dennoch nur ein Schüler. Meine ehrfürchtige Angst ist lähmend. Doch nicht nur dieser Umstand bereitet mir Unbehagen, sondern vor allem Hortz' Behauptungen, dieser verdammte Lehrsatz, der an und für sich so simpel ist, daß ihn sogar ein Kind in seiner Ganzheit erfassen könnte, wenn es nicht dann über die sich daraus ergebenden Schlüsse verzweifeln müßte. Durch diesen Lehrsatz versichert uns Hortz, daß man nicht einmal in der Zahlentheorie jemals ein in sich geschlossenes System mit einer endlich begrenzten Menge von Variationen finden kann, denn wenn man von ihm ausgeht, gerät man immer weiter zu anderen, bereits bekannten Lehrsätzen. Ich habe seinen Beweis unzählige Male in der vergeblichen und überheblichen Hoffnung analysiert, in ihm einen schwachen Punkt zu finden. Jetzt kann ich ihn auswendig. Der Lehrsatz ist unanfechtbar. Aber die sich aus ihm ergebenden Folgerungen führen zu einer erschreckenden philosophischen Folgerung.

Wenn die Mathematik unerschöpflich ist – und im Grunde hat ja Hortz genau das bewiesen –, dann bedeutet das nicht weniger, als daß unsere vernüftige, rationelle Wirklichkeit unendlich ist, daß heißt, daß das Universum, das wir kennen, nicht das einzige, sondern eines unter unendlich vielen existierenden Universen ist, die alle wirklich vorhanden sind. Das hat mir Hortz jedoch nicht gesagt. So klar und zusammenhängend seine Vorträge auch sind, ab einem gewissen Punkt werden sie unklar, und ich habe den Eindruck, daß sich der Alte über mich lustig macht.

»Hör zu«, fordert er mich immer wieder mit seiner schrillen Stimme auf. »Versuch, die Zeit-Raum-Theorie gemeinsam mit dem Lehrsatz der unendlichen mathematischen Entitäten zu betrachten ...«

Immer die gleichen Worte, als wolle er mich auf etwas hinweisen, aber er hört sofort wieder auf, wiederholt den Satz ein-, zwei-, zehnmal, mit ermüdender Eintönigkeit.

Vielleicht weiß nicht einmal er, was er ausdrücken will, vielleicht hat er Angst davor, eine grausame, dumme Wahrheit auszusprechen ... Oder vielleicht ... Ich weiß nicht, aber wenn er mich mit seinen durchdringenden Augen fixiert und dicht vor der Enthüllung aufhört zu reden, habe ich beinahe den Verdacht, daß er es absichtlich tut. Wer weiß! Vielleicht will Hortz, daß ich es selbst herausfinde.

Krull ist mein Freund. Es macht mir Spaß, ihm unangenehme Fragen zu stellen, das heißt, ich verfahre mit ihm so wie Hortz mit mir. Aber es gibt einen kleinen Unterschied: Ich würde alles um mich vergessen und mit Hortz weiterdiskutieren, während Krull nach einiger Zeit genug hat und das Thema wechselt.

Vor einiger Zeit befanden wir uns im Sektor B-412. Krull hatte einen parabolischen Umformer bei sich, hatte ihn eingeschaltet und betrachtete ihn.

»Was sind deiner Meinung nach die schwarzen Linien, die sich über den Bildschirm bewegen?«

»Schwarze Linien, das hast du ja selbst gesagt.«

»Aber wie erklärst du dieses Phänomen?« wollte ich wissen.

»Es macht mir einfach Spaß, diese Bilder zu betrachten, die ohne erkennbare logische Ordnung auftauchen und verschwinden. Ich habe keineswegs die Absicht, mir den Kopf über eine Erklärung zu zerbrechen. Zu welchem Schluß sind die Leute gelangt, die es versucht haben? Zu keinem! Wir wissen nur, daß auf dem Schirm des Umwandlers sofort Bilder auftauchen, wenn man ihn einschaltet. Ich habe jedoch nicht das Bedürfnis herauszufinden, was diese Bilder darstellen, woher sie kommen. Ich weiß nur, daß sie mir gefallen und daß ich mich bei ihrem Anblick entspanne.«

»Du bist merkwürdig, Krull, sogar beunruhigend.«

»Keineswegs. Beunruhigend bist *du*. Ich denke wie alle anderen, frage nie nach dem Warum. Auch du warst früher so. Dann hast du begonnen, dich mit diesem alten Spinner zu unterhalten, und seither grübelst du ununterbrochen. Du wirst noch genauso verrückt werden wir Hortz.«

Wir waren im Begriff, ernsthaft in Streit zu geraten. Krull hat allerdings nicht ganz unrecht. Die Probleme, mit denen ich mich infolge der Diskussionen mit Hortz beschäftige, sind unwesentlich. Dennoch muß ich mich mit ihnen auseinandersetzen, sie gehen mir ununterbrochen im Kopf herum.

Wenn Hortz zum Beispiel erklärt, daß sich das Universum ausdehnt – handelt es sich dann nur um eine Metapher oder um eine begriffliche Vorstellung, die der Wirklichkeit entspricht? Hortz behauptet, daß die Wissenschaftler der Generation vor ihm das Universum vermessen haben. Die damaligen Werte sind niedriger als die heutigen. Es handelt sich um eine ständige Ausdehnung.

»War das immer so?« habe ich ihn gefragt.

»Immer.«

»Aber es muß doch einen Anfang gegeben haben.«

»Vielleicht. Das Phänomen wurde zum ersten Mal vor etwa zweihundert Generationen bemerkt, und zwar zufällig. Aber es kann schon vorher eingesetzt haben; seither ist zuviel Zeit vergangen, und wir können es nicht mehr exakt feststellen.«

Das Problem der steigenden Temperatur ist jedoch weniger kompliziert. Es gibt zuverlässige Hinweise darauf, daß dieses Phänomen erst vor kurzem aufgetreten ist. Ich war bereits auf der Welt, als Hortz und die übrigen Alten die ersten Symptome bemerkten. Augenblicklich sieht es so aus, als bleibe die Temperatur konstant, doch es gibt schon Leute, die behaupten, daß der umgekehrte Prozeß stattfindet – nur besitzen wir noch nicht genügend Daten darüber.

Über diese Dinge kann ich nur mit Hortz sprechen. Mit Krull und den übrigen ist es beinahe unmöglich. Leider ist Hortz nur gelegentlich bereit, mich zu empfangen. Er ist immer beschäftigt. Es kommt oft vor, daß er mich kommen läßt, ich stürze zu ihm, und dann entschuldigt er sich – er kann sich infolge unvorhergesehener Verpflichtungen nicht mit mir unterhalten.

»Ein anderes Mal«, vertröstet er mich mit seiner schrillen Stimme.

Ich kehre in meinen Wohnraum zurück und denke nach. Wenn Krull mich auffordert, mit ihm auszugehen, lehne ich beinahe immer ab. Seit einiger Zeit langweilen mich die Vergnügungen, die er vorzieht: Ich habe von den Bildern im Sektor B-412 genug, und auch das Schauspiel der Kud und der Zerk, die oft in einen Kampf auf Leben und Tod verstrickt sind, interessiert mich nicht mehr.

»Setz dich«, fordert Hortz mich auf. Er verzieht die Lippen zu einem ironischen Grinsen, das nichts Gutes verspricht. »Was hast du die ganze Zeit über getan?«

»Nichts. Ich habe nachgedacht. Es gibt nämlich einige Probleme, Hortz, mit denen ich nicht fertigwerde ...«

Er lacht. Dann preßt er unvermittelt die Lippen zusammen, und auf seiner Stirn bilden sich steile Falten.

»Mein Junge«, meint er leichthin, »du bist zu intelligent.«

Ich werde bei diesem Kompliment beinahe rot. Doch ich erkenne sofort, daß diese Worte ein Vorwurf sein sollen. Er sieht mir in die Augen, und sein Blick wird immer strenger und forschender.

»Ich will dich heute genau prüfen. Es handelt sich um ein wichtiges Experiment. Hör mir daher aufmerksam zu. Du mußt meine Frage vollkommen aufrichtig beantworten.«

Ich fühle mich unbehaglich. Hortz wirkt heute anders, sein Verhalten ist vollkommen ungewohnt. Ich habe den Eindruck, daß wir immer ein Spiel gespielt haben, ein scheinbar endloses Spiel, dessen wahre Bedeutung mir erst heute enthüllt werden soll.

»Du hast also viel nachgedacht, nicht wahr?« fährt Hortz fort. »Ich nehme an, über meinen Lehrsatz.«

»Ich habe auch über andere Probleme nachgedacht, die jedoch alle mehr oder weniger mit dem Lehrsatz im Zusammenhang stehen.«

Hortz' Augen glühen düster.

»Glaubst du, daß du ihn vollkommen verstanden hast?«

»Seine mathematische Formulierung ist mir klar, da habe ich überhaupt keine Schwierigkeiten, aber die sich daraus ergebenden Folgerungen erschrecken mich.«

»Sprich weiter.«

»Soll ich die Wahrheit sagen?«

»Selbstverständlich. Du mußt mir alles erzählen, was du gedacht hast, alle Schlüsse nennen, zu denen du gelangt bist.«

»Gut. Wenn der Lehrsatz wahr ist, wenn die gesamte Mathematik ein unendliches System von Wahrheiten darstellt, in dem Sinn, daß unser Verstand es nie ganz ausschöpfen und zur Gänze erfassen kann, dann heißt das, daß ...«

»Sprich weiter.«

»Daß ... Hortz! Ich glaube nicht, daß das Universum endlich, in sich selbst abgeschlossen ist.«

»Nein? Diese Behauptung ist absurd. Die Berechnungen und viele Versuche beweisen das Gegenteil. Wenn du dich treiben läßt und genügend Geduld hast, landest du früher oder später an deinem Ausgangspunkt. Es gibt schon Leute, die es getan haben.«

»Ja, aber nicht, indem sie sich auf einer Geraden fortbewegt haben.«

»Einen Augenblick, mein Junge, überlege einmal. Die Gerade ist eine Abstraktion, ihre Realität ist nur ideell.«

»Schön, sie ist nur ideell. Doch hier handelt es sich um etwas anderes. Wenn der Lehrsatz stimmt, Hortz ... Kurz, unser Universum stellt nicht das gesamte Universum dar, sondern nur einen Teil von ihm. Es ist unmöglich, daß es sich anders verhält. Und jetzt frage ich mich: Was befindet sich jenseits der Grenzen? Ich werde diesen Gedanken nicht los, er verursacht mir Schwindel.«

Hortz legt mir die Hand auf die Schulter. »Warum läßt du dich von einer Idee beunruhigen, die nur hypothetischen Wert besitzt?«

»Es handelt sich nicht nur um eine Hypothese. Der Lehrsatz besagt doch, daß die Vorstellung einer Realität jenseits der Grenzen unserer Welt weder absurd noch widersprüchlich ist. Ich könnte mich mit der Überlegung trösten, daß etwas, was möglich ist, nicht unbedingt auch vorhanden sein muß. Aber ich besitze Beweise, Hortz.«

»Beweise wofür, mein Junge?«

»Daß sich jenseits unseres Universums ein weiteres ausdehnt.«

Hortz schließt die Augen und streicht sich müde mit den Fingern über die Schläfen.

»Laß hören«, fordert er mich ruhig auf. »Sprich offen, lege mir deine Gedanken unbesorgt dar.«

»Du hast immer behauptet, daß sich unser Universum in ständiger Ausdehnung befindet, nicht wahr?«

»Ja, das Universum dehnt sich ständig aus.«

»Das heißt, im Lauf der Zeit nimmt das Universum einen immer größeren Raum ein.«

Hortz nickt.

»Gut. An diesem Punkt drängt sich ein Schluß auf. In diesem Augenblick existiert bereits außerhalb unserer Welt der Raum, der morgen von jenem Teil des Universums eingenommen wird, der heute noch potentiell ist. Dieser Raum, der jenseits der Grenzen existiert, ist nicht nichts, dieser Raum ist bereits vorhanden, der Raum ist ...«

»Hör auf.«

Ich sehe ihn verblüfft an. Ich bin von dem, was ich ihm erkläre, überzeugt; ich würde auch dabei bleiben, wenn Hortz mich ohrfeigt, wenn er sein Leben lang das Gegenteil behauptet.

Seine Augen erforschen lange den Grund meiner Seele: Er hat erkannt, daß meine Überzeugung unumstößlich ist. Daraufhin sagt er:

»In Ordnung, mein Junge. Ich habe seit einiger Zeit erwartet, daß du mir diesen Vortrag hältst. Du hast vollkommen richtig verstanden. Es stimmt: Jenseits unseres Universums erstrecken sich viele andere Universen.«

Die Prüfung war lang. Hortz hat mich mit seinen unaufhörlichen Fragen verwirrt. Er wollte meine Meinung zur Theorie von der Verhärtung der Grenzen hören. Einmal sind die Grenzen elastisch, weich gewesen. Einmal, vor langer Zeit. Alle wissen, daß unser Universum röhrenförmig ist. Genauer: ein kompliziertes Netz aus kreisrunden Kanälen, deren Wände immer härter werden. Jenseits der Wände befindet sich das Nichts; das nehmen jedenfalls die anderen an. Aber ich bin nicht dieser Meinung, genausowenig wie

Hortz, genausowenig wie noch einige – die Alten –, deren Wissen dem meinigen weit überlegen ist.

Wie gesagt: Ich bin ein aufgeweckter Schüler. Vor einiger Zeit habe ich plötzlich eine Art Erleuchtung gehabt. Ich habe zwei Tatsachen miteinander in Beziehung gebracht: die fortschreitende Verhärtung der Grenzen und die ständige Zunahme der Bevölkerung. Für mich ist das Phänomen klar. Wir mit unserem Stoffwechsel, unseren Booten mit akustischer Reaktion ... millionenfache Schwingungen, die auf lange Sicht dieses beunruhigende Phänomen hervorgerufen haben.

»Auch das hast du richtig erraten«, hat Hortz beinahe widerstrebend zugegeben. »Die Grenzen unserer Welt verhärten sich aufgrund einer Progression, die dem Unendlichen zustrebt. Unsere Welt wird früher oder später untergehen. Sie würde zwar auch ohne uns aufhören zu existieren, aber unser Vorhandensein beschleunigt zweifellos ihr Ende.«

Dann wollte er wissen, was ich über das Problem des Ursprungs denke. Ich habe es ihm gesagt. Für mich ist die Evolutionstheorie ein Märchen. Es stimmt nicht, daß unsere Spezies in dem warmen, unaufhaltsam pulsierenden Ozean entstanden ist, der ewig grundlos fließt. Es stimmt nicht. Wir sind nicht wie die Zerk und die Kud. Wir brauchen Sauerstoff, wir brauchen Eisen und Kalk, um unsere Schiffe zu bauen, wir brauchen unzählige Rohstoffe, die wir dem flüssigen Element entnehmen, aus dem unsere Welt besteht. Wir brauchen Licht, aber um zu sehen, müssen wir künstliche Vorrichtungen verwenden. Die Theorie der allmählichen Anpassung ist eine Beleidigung für meine Intelligenz. Ich würde sie akzeptieren, wenn sich unwiderleglich daraus ergäbe, daß es die grundlegenden Bedingungen für unsere Anpassung bereits von Anfang an außerhalb unserer flüssigen Umwelt gegeben hat. Aber das ist nicht der Fall. Unsere Wohnräume, die mechanischen Oasen, in denen wir leben, die Fabriken, die Produktions- und Erntezentren, die Lagerhäuser, mit einem Wort, die Welt, in der wir leben und uns vermehren ... Alles ... Alles ist zu künstlich. Wir haben die Umwelt geschaffen, in der wir leben. Es hat sie nicht bereits vor uns gegeben. Die Evolutionstheorie ist daher absurd.

Ich habe das alles beinahe vor Wut heulend hervorgestoßen. Hortz war fast zu freundlich und geduldig.

»Geh jetzt«, hat er mich schließlich aufgefordert, ohne mich anzusehen. Aber auf der Schwelle hat er mich aufgehalten. Seine Augen waren nachdenklich und traurig, wie bei jemandem, der seit langer Zeit Gedanken mit sich herumträgt, die er niemandem mitteilen kann. Dann hat er erklärt: »Es genügt nicht, eine Theorie abzulehnen. Die Evolution ist ein Mythos, das stimmt. Aber du ... Du akzeptierst die offizielle Lehrmeinung nicht – hast du vielleicht etwas Besseres anzubieten?«

Ich habe nicht gewußt, was ich antworten soll. Hortz verlangt zuviel von mir. Genügt es ihm nicht, daß ich die Unhaltbarkeit der offiziellen Theorien erfaßt habe?

»Geh jetzt«, hat er wiederholt. »Geh in deinen Wohnraum zurück, ich werde dich später wieder zu mir rufen.«

Es hat sich unversehens ereignet. Innerhalb kürzester Zeit hat sich das Universum in einen statischen Komplex verwandelt. Nichts rührt sich mehr, die Materie fließt nicht mehr, die Bewegung hat vollkommen aufgehört.

Krull ist außer sich. Auch die übrigen sind nervös und reizbar; sie laufen unruhig herum, bilden große Gruppen und diskutieren. Lauter Leute, die sich nie eine Frage gestellt haben und die angesichts des ersten »Warum« kopflos werden.

Ich weiß. Schon seit einiger Zeit empfinde ich wahnsinnige Angst vor dem Ende. Ich weiß, oder glaube wenigstens zu wissen: Das Ende der Welt ist gekommen. Vielleicht sehen, begreifen es die anderen noch nicht, weil sie ihren Geist nie geübt haben. Aber es ist das Ende, das sichere, unwiderrufliche Ende.

Das Universum hat aufgehört zu puliseren, die Temperatur sinkt zusehends. Die lebendige, wogende Flüssigkeit, die unaufhörlich in Fluß war, ist jetzt bewegungslos, beginnt bereits, dichter zu werden, an einigen Stellen ist sie zu kompakten Felsen zusammengeschrumpft. Die Kud und die Zerk, die weißen und roten Monster, die voll Lebenskraft umherschossen, bewegen sich jetzt langsam und schwerfällig in den stagnierenden Laken einer Realität, die immer fester wird.

Krull wird wahnsinnig. Dreimal hat er sich in den Sektor B-412 begeben. Dreimal war sein Gesicht, als er zurückgekehrt ist, von Angst gekennzeichnet. Die Stromkreise seines parabolischen Umwandlers dürften unterbrochen sein. Er funktioniert nicht mehr. Auf dem Bildschirm erscheint kein Bild. Unten, in den tiefen Schächten von K-51, stockt die Materie. In C-715 ist alles still. Eine ungeheure Säureblase bildet sich ohne erkennbaren Grund, neue Ungeheuer tauchen auf, wachsen zusehends, greifen die Materie an den Stellen an, an denen sie fest geworden ist, und pulverisieren sie. Es ist kalt, so kalt, daß der Atem stockt und daß mir Todesgedanken kommen.

Ich habe sofort Hortz aufgesucht. Er war nicht anwesend. Niemand konnte mir sagen, wann er zurückkehren würde. Ich habe um eine Erklärung gebeten.

»Wir wissen nichts. Hortz ist mit den ältesten Mitgliedern der Kontrollkommission draußen. Versuch es später noch einmal.«

Ich bin ziellos herumgeirrt, habe die Gruppen und die belebten Straßen gemieden. Ich habe mehrmals gegen die Bestimmungen des Ausnahmezustandes verstoßen, indem ich über abgesperrte Wege gegangen bin. Ich wollte es mit eigenen Augen sehen. Die äußeren Gänge sind zu Tausenden blockiert, massive, schwammartige, metallharte Wände erheben sich dort, wo die Materie früher flüssig und leicht beweglich war.

Warum? Warum steht alles still? Das hatte Hortz nicht vorhergesehen, er hat sich damit begnügt zu behaupten, daß das Universum langsam erlischt, hat aber immer von einem weit entfernten Ende gesprochen, das so fern war, daß noch tausend Generationen friedlich leben und gedeihen konnten. Aber vielleicht hat Hortz gelogen, vielleicht hat er genau gewußt, daß das Ende der Welt bevorsteht.

Ich schlage mich mit einem Problem herum, das ich nicht lösen kann. Die Temperatur. Unsere Instrumente haben zuerst ein ständiges Ansteigen und dann, plötzlich, ein scharfes Absinken registriert. Warum? Warum hat sie sich diesmal nicht an das Gesetz der Minimal-Veränderungen gehalten?

Das ist mein fünfter Versuch. Die ungeheure Halle des Kontrollzentrums ist voller Leute, die plötzlich neugierig geworden sind, die plötzlich das Bedürfnis haben, persönlich mit einem der Alten zu sprechen. Dumme, blinde Feiglinge, die noch auf das Wunder hoffen, die sich noch nicht mit dem Ende abgefunden haben.

Der Tod erschreckt mich nicht. Aber ich will nicht sterben, ohne zu wissen. Ich will nicht beruhigt, ich will informiert werden. Zwischen mir und der Wahrheit befindet sich jetzt nur noch eine dünne Membrane, die ich mühelos durchstoßen könnte, wenn ich nur ein wenig Zeit und Ruhe zum Überlegen hätte. Aber so ist es nicht möglich. Nur Hortz kann mir helfen, das letzte Hindernis zu nehmen.

Hortz. Er hat sich seit zu langer Zeit mit den übrigen Alten dort drinnen eingeschlossen. Sicherlich analysieren sie die Fakten, die sie bei ihrer Inspektionstour gesammelt haben. Die Arbeit können sie sich schenken: Ein Blick hinaus genügt, um zu begreifen, daß nicht die geringste Hoffnung besteht, daß unser Universum zum Untergang verurteilt ist.

Noch einmal dränge ich mich durch die Menge, versuche, mit dem Diensthabenden am Eingang zu sprechen. Ich habe es bereits viermal versucht, viermal ist er zurückgekommen und hat den Kopf geschüttelt. Doch als er mir jetzt den Rükken zukehrt und zum Telefon geht, stürze ich in den Seitenkorridor und laufe die Treppe hinauf, die zum Konferenzzimmer führt. Es ist leer, das Licht ist ausgeschaltet. Daraufhin beginne ich wie ein Wahnsinniger, alle Türen aufzureißen. Niemand ist da, die Räume sind leer, verlassen. Sind sie geflohen? Das ist unmöglich, die Massen blockieren die Ausgänge. Sie müssen in das obere Stockwerk gestiegen sein, sich in ihre Wohnräume zurückgezogen haben. Natürlich! Warum sollten sie die Bevölkerung mit einer katastrophalen Verlautbarung in Panik versetzen? Es wird nicht mehr lang dauern. Es ist besser, wenn sie nichts sagen, wenn sie es jedem überlassen, das Phänomen aufgrund seiner persönlichen Eindrücke und seines spärlichen Wissens zu deuten.

Um mich herrscht die Stille erloschener Gedanken, die Wände sind kalt, und auch das Licht ist kalt, erinnert an die Starre des Todes.

Ich stoße die Tür auf, ohne anzuklopfen. Hortz sitzt auf einem Stuhl im Hintergrund des Zimmers.

Er hat mich gesehen und blickt mich an – ich weiß nicht, ob wohlwollend oder vorwurfsvoll. Anscheinend wundert er sich nicht darüber, daß ich das Zimmer betreten habe. Verblüfft bleibe ich in einiger Entfernung vor ihm stehen, während er weiterhin unbeweglich den Kopf in die Hände stützt.

»Komm näher«, fordert er mich auf. Und diesmal ist seine Stimme nicht schrill, sondern tief und klangvoll. »Ich habe gewußt, daß du kommen wirst.«

In diesem Augenblick möchte ich in einen Spiegel blikken. Die Haut meines Gesichts ist krampfhaft gespannt, ich muß entsetzlich aussehen. Hortz schaut mich immer noch an und scheint meine Gedanken zu lesen.

»Ja, es ist aus«, murmelt er. »Es gibt keine Rettung.«

»Hast du es gewußt, Hortz?«

»Nein, die Katastrophe hat auch mich überrascht. Wir haben sie erwartet, aber nicht so bald. Hast du Angst?«

Ich schüttle den Kopf. »Ich will die Wahrheit wissen, Hortz. Ich verlange, daß du mir alle Rätsel erklärst.«

»Alle? Das ist unmöglich. Mein Wissen ist nicht absolut, in meinem Geist gibt es noch tausend Fragen, auf die ich keine Antwort weiß.«

Hortz steht auf und tritt zu mir. Er faßt mich am Arm, und wir beginnen, in dem großen Raum auf und ab zu gehen. Er zeigt zur hohen Decke und fragt: »Weißt du, was dieses ungeheure Gebäude in Wirklichkeit ist?«

Ich hänge an seinen Lippen.

»Eine Maschine. Aber wenn du annimmst, daß sie hier konstruiert wurde, in diesem Universum, dann irrst du. Das hätten wir nie geschafft, mein Junge. Es gibt noch viele solche riesige Maschinen an den strategischen Punkten dieser unserer Welt, die absurd und doch so natürlich ist.«

Er hält einen Augenblick inne, als wolle er die Veränderung beobachten, die seine Worte in meinem Gesicht hervorgerufen haben, dann fährt er fort.

»Vor mehr als dreihundert Generationen haben unsere Vorfahren ihr Universum mit diesen wunderbaren Maschinen verlassen und sich hier angesiedelt. Ich weiß nicht, was sie zur Flucht veranlaßt hat, vielleicht hat es sich auch nur um eine Forschungsreise gehandelt, oder vielleicht sind sie zufällig hier gelandet und hatten dann keine Möglichkeit mehr zurückzukehren.«

»Woher weißt du das alles?«

»Die Wahrheit, die ich dir mitteile, ist eine mündliche Überlieferung der Alten. Sie ist von Generation zu Generation weitergegeben worden. Es gibt Dokumente, die meine Behauptungen zweifellos bestätigen würden, aber bei unserem jetzigen Wissensstand sind sie nicht zu entziffern oder ergeben keinen Sinn.«

»Wie ist das möglich?«

»Unsere Kultur verfällt. Wir sind heute nicht mehr fähig, den Umfang und die Bedeutung dieses ungeheuren Experiments zu erfassen. Die Tradition beruht auf dem Axiom, daß Raum und Zeit relativ und unendlich sind. Die Folge ist eine unendliche Anzahl von Universen, eines im anderen, eines neben dem anderen, eines vorher und eines nachher, und dennoch alle gleichzeitig. Unsere Vorfahren hatten eine Möglichkeit entdeckt, von einem Universum ins andere zu gelangen.«

Ich gehe mit gesenktem Kopf weiterhin auf und ab, und mein Gehirn ist von chaotischen Bildern erfüllt.

»War die Welt unserer Vorfahren schön?«

»Ich habe sie gesehen, mein Junge. Aber ich kann dir nicht sagen, ob sie schön war.«

»Du hast sie gesehen? Das begreife ich nicht, Hortz.«

»Ich habe sie auf einem Spezialbildschirm gesehen, der die auf einen Streifen aus synthetischem Material gedruckten Bilder erfassen und vergrößern kann. Es sind unverständliche Bilder, die jenen ähneln, die du mit einem Parabolumwandler erhalten kannst.«

Hortz spricht lange über die Welt unseres Ursprungs, aber als ich ihn nach der letzten Wahrheit frage, zögert er.

»Weißt du, welches die schwierigste Wissenschaft ist?«

Er muß wahnsinnig sein, wenn er mir eine so kindische Frage stellt.

»Was soll diese banale Frage, Hortz? Alle wissen, daß die Medizin die höchste aller Wissenschaften ist.«

»Das stimmt nicht, mein Junge. Das Medizinstudium beinhaltet keine größeren Schwierigkeiten als andere Studienrichtungen.«

»Warum ist es dann das Monopol einer ausgewählten Gruppe?«

»Weil es das Wesen des Seins erklärt und zur letzten Wahrheit führt, die nur wenige ertragen können, ohne verrückt zu werden.«

Er tritt zu einem Wandschrank und entnimmt ihm einen seltsamen Gegenstand.

»Das ist ein Mikroskop.« Er reicht es mir.

»Ein was?«

»Ein Mikroskop. Es ermöglicht dir, die kleinen Dinge zu sehen, auch wenn sie so klein sind, daß nicht einmal das schärfste Auge sie wahrnehmen kann.«

»Handelt es sich um ein Instrument, das von den Medizinstudenten verwendet wird?«

»Ja. Wenn du Aufklärung über das Wesen der Welt erhalten willst, in der wir dreihundert Generationen lang gelebt haben, schau hinein.«

Ich drehe das Instrument mit zitternden Händen hin und her.

Hortz unterrichtet mich kurz darüber, wie es funktioniert, dann begleitet er mich zur Tür.

»Geh jetzt«, sagt er ruhig. »Ich möchte die wenige Zeit, die uns noch bleibt, allein verbringen. Leb wohl.«

Der Wahnsinn ist unwiderruflich ausgebrochen. Es ist das Ende, wirklich das Ende. Kanäle und Leitungen sind verstopft, verhärtet, ich habe die Boote gesehen, die in der Flüssigkeit stecken, die zuerst zu einem dicken, zähen Brei und dann zu festen Felsen wurde. Ich habe gesehen, wie die Metallwände unter dem unerbittlichen Druck der festen Materie nachgeben, die von allen Seiten vordringt.

Vor kurzem hat auch die Decke meines Wohnraums geknirscht. Vielleicht ist Hortz bereits tot. Vielleicht ist auch Krull oben in B-412 tot, ohne zu wissen, was die seltsamen Bilder bedeuteten, die sich auf dem Schirm seines Parabolumwandlers bewegt haben.

Jeder von uns ist allein. Grobe, harte Mauern hindern uns daran, uns an einen anderen Ort zu begeben. Alle Verbindungen sind unterbrochen. Vielleicht bin ich das einzige noch lebende Wesen, und das Ende wird mich im nächsten Augenblick erreichen.

Ich habe keine Angst. Denn ich weiß, was geschehen ist und was geschehen wird. Ich weiß alles, ich weiß, daß es unendlich viele Zeiten, unendlich viele Räume, unendlich viele Universen gibt, die gleichzeitig den gleichen Raum einnehmen, ich kenne die wahren Gründe für die Verhärtung der Begrenzungen, den Grund für das Ende der Welt, *dieser* Welt. Wir sind der Grund, wir sind die Mörder unseres Universums.

Ich habe keine Angst. Zumindest nehme ich es an. Nicht einmal vor kurzem, als sich der Knoten des letzten Geheimnisses in meinem Geist gelöst hat, schmerzhaft und blendend zerrissen ist, nicht einmal da habe ich Angst gehabt. Ich habe ein merkwürdiges Gefühl der Hilflosigkeit, der Armseligkeit empfunden.

Das Mikroskop. Was für ein wunderbarer Apparat! Nur wenige konnten durch seine Linsen blicken. Und sie haben die letzte, schreckliche Wahrheit gesehen, haben erfahren, *was* die Welt ist.

Die Wände knirschen wieder, die Decke weist einen Riß auf, und die Lampe hat einen Augenblick lang geflackert. Bevor das Licht ganz erlischt, möchte ich noch einmal schauen, möchte noch einen Tropfen meines Blutes unter dem Mikroskop untersuchen.

Ich habe bereits das Auge an das Okular gelegt: Wie durch das Bullauge meines Schiffs sehe ich die Zerk und die Kud, die schnell dahingleiten, sehe ich die weißen und roten Ungeheuer meines Blutes, die gleichen Ungeheuer wie in meinem Universum, das in diesem Augenblick aufgehört hat zu existieren.

Aus der »Saturday Evening Post«, aus der »Times«, aus dem »Messaggero« und aus unzähligen anderen Tageszeitungen vom 9. Februar 1962:

ELFJÄHRIGER STIRBT AN FORTGESCHRITTENER VERGREISUNG

Watsonville, 8. Februar

Der elfjährige Arthur Balidoy ist an fortgeschrittener Vergreisung gestorben. Der Fall dieses Jungen, der in der Geschichte der Medizin einzigartig ist, hat Hunderte Fachärzte zur Verzweiflung gebracht. Das Gesicht des kleinen Arthur war bei seinem Tod von Falten durchzogen wie das eines Greises, und sein Körper vollkommen dehydriert; er wog nur noch dreißig Kilo. Die Untersuchung der Leiche, die ins Forschungszentrum der Stanford University geschickt wurde, hat bestätigt, daß der Tod infolge von Arterienverkalkung eingetreten ist.

Der Mond mit den zwanzig Armen

»David Portland«, ruft Professor Kruppen. »Komm an die Tafel.«

David zögert kurz, dann entschließt er sich, aus der Bank herauszutreten.

»Hast du die Astronomieaufgabe gelernt?«

»Natürlich, Herr Professor.«

»Sehr schön. Dann sag mir einmal, wie viele natürliche Satelliten der Saturn besitzt.«

»Zehn.«

»Gut. Nenne mir ihre Namen in der Reihenfolge ihrer Entdeckung.«

»Titanus«, beginnt David ein bißchen unsicher, »Titan, Japetus, Rhea, Dione, Tethys, Enceladus, Mimas, Hyperion ...«

Er unterbricht sich, wird rot und blickt zu Boden.

»Weiter«, ermuntert ihn der Professor. »Es fehlen nur noch zwei. Phoebe und ...?«

»Phoebe und Temys.«

»Gut. Die nächste Frage. Wir wird Titan auch noch genannt?«

»Man nennt ihn auch ›Den Mond mit den zwanzig Armen‹.«

»Und warum?«

»Das weiß ich nicht.«

»Du solltest es aber wissen, David. Ihr solltet doch auch ein Lesestück für heute vorbereiten. Wenn du das getan hättest, könntest du meine Frage beantworten.«

»Ich weiß, aber ... ich habe den Bericht nicht gelesen.«

»Und warum nicht?«

David schweigt einige Augenblicke, dann hebt er den Kopf: »Ich mag die Astronomie nicht.«

In der Klasse ist es still geworden. Alle recken verblüfft die Hälse und sehen David an. Der Professor lächelt.

»Ich mag sie nicht«, fährt David kühner geworden fort, »ich kann sie nicht leiden. Außerdem brauche ich sie nicht, ich werde kein Raumpilot. Ich will hierbleiben, auf der Erde, und Chirurg werden, wie mein Vater.«

Der Professor lächelt immer noch. »Für diese Entscheidung ist es noch etwas zu früh, findest du nicht?«

David wird verlegen und blickt wieder zu Boden.

»Gib mir dein Buch, David.« Der Professor nimmt den Band, durchblättert ihn rasch und reicht dann David das aufgeschlagene Buch zurück. »Hier, lies das. Ein unbekannter Schriftsteller hat es im einundzwanzigsten Jahrhundert geschrieben. Lies es genau, ich komme darauf zurück.«

David geht mit gesenktem Kopf in die Bank zurück. Die übrigen lachen. David brummt, schneidet eine Grimasse und beginnt dann zu lesen.

Können Sie sich vorstellen, wie ein einzelliger Organismus beschaffen ist? Ungefähr so hat die »Ibis« ausgesehen. Sie war kein Raumschiff, das Stück für Stück zusammengesetzt, mit Instrumenten, Kontakten und Nieten versehen worden war. Kurz, keine Maschine, in der man die einzelnen Elemente austauschen konnte. Nein, die »Ibis« bestand aus einem Stück, war gemäß den modernsten Theorien der Molekularkohäsion als ein einziger Block gegossen worden. Sie entsprach genau den heutigen Raumschiffen, war zwar kleiner und nicht so schnell, noch nicht vollkommen, aber vor sechzig Jahren, als sie die Montagehalle verließ und das Projekt von Krusius und Blogowitsch zum ersten Mal Wirklichkeit wurde, galt sie als Wunderwerk.

Elektromagnetische Raumfahrt. Monatelang wurde damals von nichts anderem gesprochen. Krusius und Blogowitsch hatten den unwiderlegbaren Beweis dafür geliefert, daß man für interplanetarische Reisen kein Antriebsaggregat mehr brauchte. Ein Beschleuniger und eine Anti-G-Anlage genügten; das Schiff konnte mühelos jede Distanz überwinden, indem es sich an den Kraftlinien entlangbewegte, die den Raum durchziehen. Eine Entdeckung und eine Erfindung, die revolutionär waren.

Das Jahr 2025 brachte das Ende der Atmoära und den Beginn der elektromagnetischen Ära; in anderer Hinsicht war es jedoch eines der tragischesten Jahre der Menschheit.

Die »Ibis« hatte den dritten Testflug – Erde-Mars-Erde – pannenfrei absolviert, als auf der Erde unvermittelt die Epidemie der Roten Krankheit mit voller Wucht ausbrach. Nur die ältesten unter uns können sich an sie erinnern, und wer weiß, ob ihre Erinnerung stimmt: Gewisse Erlebnisse sind zu schrecklich, der unbewußte Mechanismus des Erinnerungsoptimismus setzt ein und zwingt uns zu vergessen. Dennoch gibt es kein geschichtliches oder medizinisches Werk, in dem das verhängnisvolle Jahr 2025 nicht erwähnt wird. Man nimmt an, daß innerhalb von sechs Monaten über anderthalb Milliarden Menschen gestorben sind, beinahe die Hälfte der gesamten Weltbevölkerung. Daß die andere Hälfte diesem Schicksal entging, ist dem Examedrin vom Titan und der »Ibis« zu verdanken, die mit damals unerhörter Geschwindigkeit zum sechsten Mond des Saturn flog.

Der Flug war eigentlich nicht gefährlich: Der Mensch hatte die Satelliten des Saturn schon mehr als einmal betreten, war sogar noch weiter vorgedrungen, bis über den Uranus hinaus, hatte das gesamte Sonnensystem erforscht. Das alles mit den antiquierten Raumschiffen mit Atomantrieb.

Kurz, auf die »Ibis« warteten keine unbekannten Gefahren, und eigentlich hätte nichts Unvorhergesehenes eintreten können. Der dreißigtätige Flug verlief auch vollkommen störungsfrei. Aber bei der Landung auf Titan gab es eine Panne: Etwas in der Anti-G-Anlage funktionierte nicht richtig.

Es vergingen achtundvierzig Stunden, ehe Kommandant Arne Lagersson und der Bordingenieur bemerkten, daß die Anzeige blockiert war. Die wertvolle Anti-G-Energie war die ganze Zeit über aus den Sammelkabeln ausgeströmt und unwiederbringlich verloren.

Lagersson stellte trocken fest: »Es geht uns genauso wie dem Kameltreiber, dem auf halbem Weg ein Wasserbehälter platzt, ohne daß er es bemerkt.«

Dann tauchte der Bordingenieur Alexej im Steuerraum

auf und meldete: »Ich habe die Sammelkabel gelötet und die gesamte Anti-G-Anlage untersucht; jetzt ist alles wieder in Ordnung.« Er betrachtete einen Augenblick lang seine ölverschmierten Hände, dann fügte er hinzu: »Wenn ich daran denke, daß wir zwei Tage lang fröhlich Examedrin gesammelt haben, ohne zu ahnen, daß sich die Kondensatoren leeren, könnte ich mich selbst ohrfeigen.«

»Hör auf«, fuhr ihn Fulton, der zweite Offizier, an. »Ich möchte wissen, wie es zu einem solchen Versagen kommen konnte.«

Arne Lagersson hatte sich abseits von ihnen hingesetzt. Er starrte vor sich hin und zog an seinen Fingern, bis die Gelenke knackten. Fulton trat zu ihm.

»Die Wahrscheinlichkeit, daß in der Anti-G-Anlage ein Energieverlust eintritt, steht eins zu tausend«, stellte er fest. »Du mußt aber bedenken, daß auch die Alarmvorrichtung versagt hat. Und als würde das noch nicht genügen, auch die Notfallwarnung. Das ist zuviel auf einmal.«

Lagersson zuckte die Schultern.

»Ich begreife es nicht«, fuhr Fulton fort. »Tausend mal tausend mal tausend ergibt eine Milliarde. Begreifst du, Lagersson? Die Wahrscheinlichkeit stand eins zu einer Milliarde, und ausgerechnet uns mußte es treffen.«

»Hör auf zu rechnen«, befahl Lagersson. »Die Landung hat nicht geklappt, und dadurch sind etliche Sicherungen ausgefallen. Ich halte das nicht für besonders merkwürdig. Es ist jedenfalls geschehen – unser Pech. Was für einen Wert gibt die Anti-G-Anzeige jetzt an?«

»Was soll sie schon angeben? Wir befinden uns jetzt bei sechshundertfünfzig minus, aber wenn du bedenkst, daß wir eine Masse von tausendsechshundert Kilogramm an Menschen und Geräten besitzen, ist die Rechnung einfach: neunhundertfünfzig plus.«

Lagersson biß sich auf die Lippen und schüttelte den Kopf. »Eine böse Geschichte, Fulton.«

»Das stimmt.« Der Zweite sah sich um, als wolle er seine Umgebung in Augenschein nehmen. »Es wird schwierig sein, hier drinnen neun überflüssige Zentner zu finden.«

Lagersson versammelte alle Anwesenden um sich. »Sprecht nicht darüber«, ordnete er an. »Es hat keinen Sinn, die Mannschaft zu beunruhigen.«

Er stieg langsam die Treppe zur Kommandobrücke hinauf und ging in seine persönliche Kabine. Er war todmüde, am Zusammenbrechen. Ich bin alt, dachte er, beinahe vierzig: viel zu alt für einen solchen Beruf.

Er zündete eine Zigarette an und blickte durch die doppelte Plexiglasscheibe des Bullauges. Der Titan war eine öde Wüste, die bis zum Horizont mit Eisplatten bedeckt war. Die roten Examedrin-Büschel zeigten sich vereinzelt in den Spalten zwischen den Eisplatten. Es war nicht das erste Mal, daß er den Titan betrat: im Jahre 2011 war er bereits zu Forschungszwecken hier gewesen und dann wieder 2021. Nun war er zum dritten Mal hier und befürchtete, daß es das letzte Mal sein würde.

Die Mitglieder seiner Mannschaft tauchten hinter einem weißen, kaum dreihundert Meter entfernten Hügel auf. Sie gingen in ihren Raumanzügen langsam auf das Schiff zu. Jeder trug einen Packen Examedrin auf dem Rücken, das er in stundenlanger, mühsamer Arbeit gesammelt hatte. Lagersson zählte sie im Geist. Er erkannte seine Männer am Gang. Nicht alle; einige waren neu, aber diejenigen, mit denen er bereits mehrere Raumfahrten unternommen hatte, hätte er auch auf einen Kilometer Entfernung erkannt.

Er warf sich schweißüberströmt auf sein Bett.

Neun Zentner. Er mußte sie um jeden Preis finden, aber es gelang ihm nicht, sich auf das Problem zu konzentrieren. Er überraschte sich dabei, daß er über die Unlogik der Welt und der Geschichte nachdachte. Er ist lächerlich, sagte er sich, meine Welt stirbt an einer unbekannten Krankheit, und das Heilmittel befindet sich hier, Millionen Kilometer entfernt. Doch dann entdeckte er in dem Ganzen einen logischen Zusammenhang. Das Examedrin! Als sie vor Jahren den Titan untersucht hatten, hätte sich keiner vorstellen können, daß diese unscheinbaren roten Büschel einmal die Rettung für die Menschheit bedeuten würden. Und dieser Arzt aus Hamburg, der erkannt hatte, daß das Examedrin das einzige Heilmittel war? Er hatte es zufällig entdeckt, während er Katalysatoren suchte, um die Produktion des antiepidemischen Serums zu beschleunigen. Zufall oder Bestimmung?

Er versuchte, sich vorzustellen, was geschehen wäre, wenn die Epidemie ein Jahr früher ausgebrochen wäre, als das Projekt Krusius-Blogowitsch erst auf dem Papier stand. Ein Raumschiff mit Atomantrieb hätte für eine solche Reise über zehn Monate gebraucht. Viel zu lange; bis dahin wäre die Menschheit ausgestorben gewesen. Die gesegnete »Ibis«, das gesegnete Examedrin, dachte er. Er mußte lachen, als ihm einfiel, daß ihm selbst ein schlechter Philosoph dogmatische Finalität vorwerfen konnte.

Die Zigarette war zu Ende, und Lagersson versank in unruhigen Schlaf. Er trieb rasch, leicht und unerreichbar in einer Wolke dahin. Dann plötzlich wurden seine Beine zu Blei, und er stürzte in einen Abgrund.

Das leise Geräusch des Summers weckte ihn. Er sah auf die Uhr und stellte fest, daß Essenszeit war. Er wusch sich mit dem Luftreiniger und ging in die Messe hinunter.

Die Mahlzeit verlief schweigend. Doktor Paulsen wirkte besorgt, Fulton versuchte, unbekümmert auszusehen, während Alexej und Irina einander ständig merkwürdige Blicke zuwarfen. Aus den darunterliegenden Räumen drangen gedämpft die Stimmen der übrigen Besatzungsmitglieder.

»Wieviel Examedrin haben wir heute gesammelt?« erkundigte sich Lagersson.

»Zwölf Kilo«, antwortete Fulton. »Noch zwei Sammelgänge, und wir haben die sechzig Kilo beisammen.«

»Wir müssen es in einem einzigen Gang schaffen.«

»Warum? Die günstige Konjunktion für den Rückflug tritt erst in zweiundfünfzig Stunden ein.«

»Das weiß ich«, brummte Lagersson. »Aber ich will, daß die gesamte Besatzung so rasch wie möglich zur Verfügung steht und beginnt, das Raumschiff leichter zu machen.« Er wandte sich Irina zu: »Ich brauche eine Liste von allem, was auf dem Raumschiff überflüssig ist: Verzierungen, Bücher und so weiter, und dazu das jeweilige Gewicht. Sie, Alexej, werden eine zweite Liste aufstellen, die alles umfaßt, was nicht unbedingt notwendig ist. Und Sie, Doktor ... Sie müssen die Mindestration an Nahrungsmitteln und die unbedingt erforderliche Sauerstoffmenge berechnen. Ich befürchte, daß wir Gürtel und Lungen enger schnallen müssen.«

Er stand auf. »Noch etwas«, wandte er sich an Fulton. »Morgen, wenn das Kontingent an Examedrin erreicht ist, nehme ich der gesamten Mannschaft die Waffen ab.«

»Entleere deine Taschen, John.«

Der Mann zögerte.

»Entleere deine Taschen, habe ich gesagt«, wiederholte Lagersson.

Zigaretten, ein Feuerzeug, eine Nagelfeile, ein Amulett fielen auf den Tisch.

»Und die Brieftasche?« fragte Lagersson mit harter Stimme.

»Hier.« John zog sie aus der Gesäßtasche und legte sie auf den Tisch. »Kommandant«, sagte er unsicher, »es sind Fotos von meiner Frau dabei, die nur wenige Gramm wiegen.«

»Ruhe!« brüllte Lagersson. »Wirf alles weg, auch die Uhr.«

John sammelte seinen Besitz ein und ging mit gesenktem Kopf zur Mitte des Raumes. Dort befand sich bereits ein Berg der verschiedenartigsten Gegenstände, über die jeder Trödler begeistert gewesen wäre: Füllfedern, Krawattennadeln, Notizbücher, Kettchen, Kugelschreiber. John warf sein Zeug dazu.

»Der nächste.«

Es war ein vierzigjähriger Mann mit borstigen roten Haaren. Ein Neuer. »Clift Evans, Kommandant.«

»Leere deine Taschen, Clift.«

»Schon geschehen.« Clift zog die leeren Hosentaschen heraus.

»Gut«, lobte Lagersson.

Clift wollte bereits weitergehen, als ihn der Kommandant zurückrief. »Nimm den Ring ab, Clift.«

»Ich habe es versucht, Kommandant. Er geht nicht ab.«
»Nimm Seife, sonst schneide ich dir den Finger ab.«
Die gesamte Mannschaft war im Steuerraum versammelt.
»Los!« befahl Lagersson, sobald die Inspektion beendet war. »Werft alles hinaus.«
Vier Männer hoben das Sackleinen hoch, auf dem die Dinge lagen, und gingen zur Luftschleuse. Fünf Minuten lang herrschte bedrücktes Schweigen. Dann ging das grüne Licht an, darauf das rote, und wieder das grüne.
»Wie steht die Anzeige?«
»Zweihundertfünf plus, Kommandant.«
Arne Lagersson fuhr sich verzweifelt mit der Hand über die Augen. Sie hatten alles hinausgeworfen: Tische, Betten, die gesamte Kücheneinrichtung, Gurte, Wandverkleidungen, Geschirr, Besteck. Sie hatten auf jeglichen Komfort, auf alles Überflüssige, auch auf alles verzichtet, was nicht unbedingt notwendig war. Was konnten sie noch entbehren?
»Fulton!« rief der Kommandant. »Wieviel Reserve-Raumanzüge haben wir?«
»Fünf.«
»Wirf drei hinaus.« Er wandte sich an Doktor Paulsen. »Kommen Sie mit hinauf, wir müssen über die Rationen sprechen.«
Kaum hatten der Arzt und Lagersson den Raum verlassen, als die Männer unruhig wurden. Nervosität und Besorgnis begannen sich breitzumachen. Einige setzten sich auf den Boden und starrten blicklos vor sich hin. Andere nahmen das Ganze von der komischen Seite, um nicht an die tragische Möglichkeit zu denken, die ihnen eventuell bevorstand.
Bob Argitay, ein neunzig Kilo schwerer junger Mann, unterhielt sich mit einigen Kameraden.
»Ich habe diese Geschichte mit der Schwerkraft nie begriffen«, sagte er betont unbefangen.
»Weil du ein Hornochse bist«, antwortete sein Freund. »Paß auf, ich erklär es dir.« Er krempelte die Hemdärmel auf. »Stell dir vor, daß wir uns auf der Erde im dreißigsten oder vierzigsten Stockwerk eines Gebäudes befinden.

Wenn ich dich packe, aus dem Fenster halte und dann plötzlich loslasse, was passiert dann?«

»Hör auf, Joe«, meinte ein Dritter. »Nichts würde geschehen: Bob ist der personifizierte Widerspruchsgeist. Er wäre imstande, justament nicht hinunterzufallen.«

Einige lachten, einer zuckte verärgert die Schultern und ging fort.

»Hört mit den Witzen auf«, rief Bob. »Ich verstehe es wirklich nicht. Und es hat keinen Sinn, wenn ihr versucht anzugeben, ihr wißt genausowenig wie ich. Der Anzeiger gibt zweihundertfünfzig plus an. Verdammt, ist es möglich, daß wir wegen zwei lächerlichen Zentnern hier festsitzen? Ich begreife es einfach nicht.«

»Weil du ein Hornochse bist«, wiederholte Joe. »Hör mir zu. Stell dir eine Waage mit zwei Waagschalen vor. Du setzt dich auf eine von ihnen, und auf der anderen liegen neunzig Kilo Ware. Was geschieht, wenn du ebenfalls neunzig Kilo wiegst?«

»Was soll schon geschehen?« meinte Bob. »Die Waage bleibt im Gleichgewicht.«

»Genau. Aber wenn du den Kugelschreiber aus der Tasche nimmst und wegwirfst, geht die Schale mit der Ware hinunter, und du steigst in die Höhe, verstanden?«

»Idiot!« zischte Bob. »Wie eine Waage funktioniert, weiß ich auch ohne dich.«

»Aber das trifft auch auf die Anti-G-Anlage zu«, erklärte Joe. »Es handelt sich um das gleiche Prinzip.«

»Ruhe«, mahnte jemand aus der Gruppe. »Der Vize kommt.«

Fulton trat zu ihnen. »Wir müssen die Kleidung auf das Notwendigste beschränken, Jungs«, meinte er freundlich.

Bob Argitay begann zu lachen. »Der Kommandant hat beschlossen, uns im Adamskostüm heimzubringen.«

»Schluß jetzt!« unterbrach ihn der Zweite. »Zieht Schuhe, Unterhemd und Hemd aus.«

»Betrifft das alle ohne Ausnahme?« erkundigte sich Bob.

Fulton nickte.

»Auch das Mädchen?«

»Natürlich.«

»Großartig.« Bob rieb sich die Hände. »Ich hoffe, daß Ingenieur Alexej Platow nichts dagegen haben wird, wenn das Mädchen von Zeit zu Zeit zu uns herunterkommt.«

»Idiot!« schimpfte Fulton.

Die übrigen lachten. Bob entschuldigte sich. »Es war nur ein Witz, ich wollte die Stimmung heben.«

Fulton sah ihn einen Augenblick lang verlegen an. Dann schlug er ihm leicht auf die Schulter und verließ den Raum.

Bis zum Abflug waren es noch achtzehn Stunden. Lagersson, Fulton, Doktor Paulsen, Alexej und Irina saßen im oberen Raum beisammen.

»Ihr wißt genau«, sagte der Kommandant, »daß das Examedrin nicht angetastet werden darf. Wir sollen sechzig Kilo mitbringen, und ich habe die Absicht, sechzig Kilo und kein Gramm weniger abzuliefern.«

Die anderen nickten.

»Schön«, seufzte der Arzt. »Der Anti-G-Anzeiger meldet jetzt vierundsechzig plus. Wir haben achtzehn Stunden Zeit, um vierundsechzig überflüssige Kilo zu finden ...«

»Wir werden es nie schaffen«, unterbrach ihn Alexej. »Hier drin gibt es überhaupt nichts Überflüssiges mehr.«

Lagersson sah sie der Reihe nach an. Sie erwiderten den Blick, als hinge die Lösung des Problems ausschließlich von ihm ab. Unten, im nächsten Stockwerk, murrte die Mannschaft, man hörte kein Gelächter mehr, das Stimmengewirr wurde immer lauter.

»Was soll ich eurer Meinung nach tun?« fragte Lagersson ironisch. »Es wäre natürlich sehr einfach, alle zusammenzurufen und zu erklären: ›Meine Herren, einer von uns ist zuviel, wir losen, und derjenige, den das Los trifft, geht hinaus und stirbt wie ein Hund!‹«

Sie sahen ihn weiterhin schweigend an, vier entsetzte, vorwurfsvolle Gesichter.

»Ihr denkt sicherlich, daß ich freiwillig die ›Ibis‹ verlassen sollte, nicht wahr? Natürlich, ich bin der Kommandant, deshalb muß ich mich opfern.«

»Das verlangt niemand«, widersprach Fulton.

»Es ist lächerlich«, fuhr Lagersson fort. »Üblicherweise verläßt der Kommandant bei Gefahr das Schiff als letzter. In diesem Fall sollte ich es jedoch als erster verlassen ...« Er brach in unbeherrschtes Gelächter aus.

»Ich habe eine Idee«, meinte Fulton. »Die Anti-G-Anzeige ist während der Landung steckengeblieben. Vielleicht ist sie überhaupt gestört?«

»Was willst du damit sagen?«

»Sie zeigt vierundsechzig plus an, aber vielleicht stimmt das gar nicht. Warum versuchen wir nicht zu starten?«

Lagersson überlegte einige Augenblicke. »Einverstanden«, meinte er schließlich. »Erteile die entsprechenden Befehle.«

Zwanzig Minuten später drückte Alexej auf den Knopf, und das Raumschiff begann zu vibrieren. Lagerssons Blick ruhte unverwandt auf dem Höhenmesser. Fünfzehn verzweifelte Sekunden vergingen.

»Nichts!« brüllte Lagersson wütend. »Wir rühren uns nicht vom Fleck.«

Der Kommandant wandte sich jetzt an Doktor Paulsen. »Was schlagen Sie vor, Doktor?«

»Es bleibt nichts anderes übrig, als daß wir alle eine Abmagerungskur machen. Spätestens in vier Tagen könnten wir dann starten.«

»Unmöglich.«

»Ich sehe keine andere Lösung, Kommandant. Entweder wir lassen das Examedrin hier oder wir warten darauf, daß die Mannschaft abnimmt.«

»Euch allen ist nicht klar«, unterbrach ihn Lagersson, »daß die Route und der Zeitpunkt für den Start genau berechnet wurden. Wenn wir erst in vier Tagen abfliegen, geraten wir auf halbem Weg in die Wolke B-36, was für alle den sicheren Tod bedeuten würde. Deshalb müssen wir entweder in achtzehn Stunden oder in zwanzig Tagen starten, wenn die Wolke weitergezogen ist.«

»Können wir sie nicht umgehen?«

»Nein, dazu müßten wir über die mittlere Umlaufbahn

steigen, wodurch unsere Geschwindigkeit beträchtlich verringert würde. Wir würden wieder um zwanzig Tage später eintreffen, vom Risiko ganz zu schweigen. Wissen Sie, was eine Verspätung von zwanzig Tagen bedeutet?«

»Ich weiß es«, brüllte der Arzt. »Dort unten sterben stündlich dreißigtausend Menschen. Sie haben es uns tausendmal gesagt. Was soll ich dagegen tun? Bin ich daran schuld, daß die Epidemie ausgebrochen ist?«

»Halten Sie den Mund!«

»Fällt mir gar nicht ein. Sie wollten doch meinen Standpunkt kennenlernen.«

Lagersson wandte ihm den Rücken zu und ging mit gesenktem Kopf an der kreisförmigen Wand des Raumschiffes entlang. Von Zeit zu Zeit schlug er wütend mit der Hand auf das Metall.

»Verringern wir die Rationen.«

Fulton trat zu ihm. »Das ist unmöglich, Arne. Du hast es bereits zweimal getan, und wir haben nur noch ein paar Kilo Konzentrate.«

»Dann werfen wir eben weitere vierundsechzig Kilo Wasser hinaus.«

»Arne ...« Fultons Stimme war leise, traurig. »Sieh dir doch an, wieviel Wasser wir noch haben. Wir müssen es mit dem Tropfenzähler trinken. Wenn du Wasser und Sauerstoff noch weiter reduzierst, ist die Mission zum Scheitern verurteilt.«

»Ich werde noch verrückt«, murmelte Lagersson und sah sich verzweifelt um. »Gibt es hier drinnen wirklich nichts mehr, was man abmontieren könnte?«

Auf dem Steuerpult fehlte die Abdeckung. Einige Unterbrecher waren durch Korkstöpsel ersetzt worden. Alles war abmontiert worden, alle nicht unbedingt notwendigen Instrumente, die nicht in den Rumpf integriert waren.

»Verdammtes Raumschiff!« schrie Lagersson. »Verdammte einteilige ›Ibis‹. Man kann nichts abmontieren, nichts wegfeilen, nichts abkratzen. Verdammt!« Er rannte wieder wie ein wildes Tier im Käfig auf und ab. Dann blieb er erschöpft stehen und lehnte sich an die Wand.

In diesem Augenblick geschah es. Lagersson betrachtete zerstreut Irina, ihre langen, dichten Haare. Er stellte sich vor, wie die Schere in diese Pracht schnitt ... O nein, das war keine Lösung: selbst wenn sie die gesamte Mannschaft kahlschoren, gewannen sie höchstens ein paar hundert Gramm. Doch die Vorstellung der Schere, die Irinas Haare abschnitt, führte zu einer weiteren, entsetzlichen, blendenden Idee. In seinem Gehirn erklang eine Stimme, seine eigene Stimme, die hart sagte: »Versuch es mit Seife, sonst schneide ich dir den Finger ab.« Wann hatte er das gesagt? Vor wenigen Stunden, zu Clift, wegen des Ringes, der sich nicht abziehen ließ. Versuch es mit Seife, sonst schneide ich dir den Finger ab.

»Doktor Paulsen«, rief er aufgeregt.

»Was ist los, Kommandant?«

»Doktor ...« Lagersson zögerte und fuhr sich mit zitternder Hand über das Kinn. »Doktor, wieviel wiegt ein menschlicher Arm?«

Doktor Paulsen zuckte zusammen. »Das hängt davon ab«, erklärte er beunruhigt. »Etwa drei oder vier Kilo.«

Lagersson grinste mit bitterer Befriedigung. »Dann brauchen wir Sie, Doktor.«

Paulsen warf den anderen einen entsetzten Blick zu, als suche er Hilfe.

»Halten Sie sich für fähig, zwanzig Amputationen vorzunehmen?«

Der Arzt zuckte angewidert die Schultern.

»Sind Sie dazu fähig oder nicht?«

»Natürlich bin ich dazu fähig, aber unter diesen Umständen werde ich es nie tun.«

»Sie werden es tun!« sagte Lagersson. Er zog blitzschnell den Strahler und hielt ihn Paulsen an den Bauch. Dieser trat einen Schritt zurück.

»Sie können mich nicht dazu zwingen!« schrie er. »Ich wiederhole, daß ich es nie tun werde.«

»Hören Sie mir gut zu, Paulsen. Ich habe die vierundsechzig Kilo gefunden. Jetzt müssen Sie dafür sorgen, daß diese Kilo die ›Ibis‹ verlassen. Wenn Sie sich weigern, betätige ich den Abzug. Wie Sie sehen, ist das Problem so oder so gelöst.«

»Ich weiß nicht, was ich von Ihnen halten soll«, erklärte der Arzt verächtlich. »Vielleicht sind Sie ein Ungeheuer, vielleicht nur ein elender Kommandant auf der Jagd nach Ruhm. Was erwarten Sie? Daß wir Ihnen später ein Denkmal errichten? Man wird Sie eher vor Gericht bringen ...«

»Schluß jetzt«, unterbrach ihn Lagersson. Die übrigen versuchten, sich ihm zu nähern. »Bleibt stehen!« schrie er. »Bleibt, wo ihr seid, an der Wand.«

»Haben Sie gehört?« fragte der Arzt die übrigen drei. »Der Kommandant ist verrückt geworden, er will allen Besatzungsmitgliedern einen Arm abschneiden lassen.«

Irina drückte sich schreckensbleich an Alexej. Lagersson hielt die Waffe immer noch im Anschlag. »Hört, Freunde ... Leute ... ich weiß nicht mehr, wie ich euch nennen soll«, sagte er müde. »Vielleicht funktioniert mein Gehirn wirklich nicht mehr richtig. Vielleicht bin ich auf der Jagd nach Ruhm – oder nach Schwierigkeiten. Aber mit diesem Gerede verlieren wir nur kostbare Zeit. Sonst nichts. Die ›Ibis‹ befindet sich nicht in Gefahr, ebensowenig wie eure Leben. Wenn zwanzig Tage Verspätung unwichtig wären, wäre das Problem gelöst: ein bißchen Bewegung, ein bißchen überflüssiges Fett abgebaut, und wir können von diesem verdammten Titan abheben. Ihr wißt jedoch, weshalb wir uns nicht die geringste Verspätung erlauben können. Das Leben unzähliger Menschen steht auf dem Spiel, und ich weiß, daß ich ein großes Opfer von euch verlange. Aber ich bitte euch, verlangt nicht, daß ich mich opfere. Es wäre ungerecht; ich könnte es von jedem von euch ebenfalls verlangen. Deshalb gebe ich euch eine halbe Stunde Zeit; ich habe mir lang genug den Kopf zerbrochen, jetzt seid ihr an der Reihe. Wenn ihr den linken Arm nicht verlieren wollt, laßt euch etwas einfallen, was man hierlassen kann, etwas, das vierundsechzig Kilo wiegt. Das Examedrin wird jedenfalls nicht angerührt, ebenso wenig wie die beiden Reserve-Raumanzüge. Wenn ihr innerhalb einer halben Stunde nichts gefunden habt, setzen wir meinen Vorschlag in die Tat um.«

Er wischte sich den kalten Schweiß ab, der ihm in die Augen lief, und ließ sich erschöpft auf den Fußboden sinken. Sein Blick war verschwommen, ein unerträgliches Gewicht drückte ihm die Augenlider zu. Vielleicht hatte er Fieber.

Fulton lehnte unbeweglich an dem Gehäuse der Anti-G-Anlage, Paulsen ging nervös auf und ab, Alexej und Irina hielten einander wortlos umschlungen.

»Ich weiß, was ihr denkt«, sagte Lagersson. »Ihr hofft, daß einer der Männer heraufkommt, mir an die Gurgel fährt und mich umbringt. Es wäre eine Möglichkeit, mit unseren Schwierigkeiten fertigzuwerden, nicht wahr? Ein anderer würde für euch die Kastanien aus dem Feuer holen. Nein, meine Lieben. Diesmal verbrennen wir uns alle die Finger.«

Lagersson sprach vom Fieber geschüttelt weiter. Seine Worte waren unzusammenhängend, abwechselnd bitter, brutal, beleidigend. »Fulton«, rief er schläfrig. »Wärst du fähig, hinauszugehen und zu sterben?«

Der Zweite runzelte die Stirn, ohne zu antworten.

»Wärst du dazu fähig, Fulton?« wiederholte der Kommandant.

»Ich weiß es nicht, Lagersson. Wahrscheinlich nicht.«

»Warum seht ihr mich dann so an? Leute, wir sind weder Bienen noch Ameisen. Wir sind keine Insekten, sondern nur egoistische, feige Menschen.«

Dennoch ... Er sah die Spitäler vor sich, die Kranken, die auf den Korridoren, in den Höfen, auf der Straße lagen, die Ärzte, die hilflos von einem zum anderen gingen. Und Waggons, Waggons mit stinkenden Leichnamen, er spürte die heiße Luft der Hochöfen, in denen sie verbrannt wurden. Die Menschen, die gesamte Menschheit wurde zu Staub und Asche.

Lagersson sah auf die Uhr. »Die halbe Stunde ist um.«

Lange, endlose Stille. Die Augenblicke tropften in den Abgrund der Verzweiflung. Zittern.

»Schön«, seufzte Doktor Paulsen. »Wir haben einander lang genug beschimpft, gehen wir an die Arbeit.«

Er sagte, daß er Verbandzeug und andere Dinge brauche,

die sie bereits hinausgeworfen hatten. Außerdem mußte ihm jemand assistieren. Sie riefen Joe, der Medizin studiert hatte, bevor er an Bord gekommen war.

Joe kam gemeinsam mit Bob Argitay herauf. Der Arzt fragte scharf: »Können Sie eine Vene abklemmen, Joe?«

»Natürlich. Ich habe es oft gemacht.«

Inzwischen befahl Lagersson Bob, den Raumanzug anzuziehen. »In dem Haufen draußen müssen einige Kartons Verbandzeug liegen. Laß dir vom Arzt sagen, was er noch braucht.«

Bob sah den Kommandanten verständnislos an. Er hatte Angst, Angst, daß die ›Ibis‹ in dem Augenblick, in dem er sie verließ, startete und ihn auf dieser ungeheuren Eisfläche zurückließ. Lagersson begriff und wollte den Befehl wiederholen, als Fulton sich einmischte.

»Ich gehe.«

Die Augen des Kommandanten leuchteten auf.

»Du hältst zu mir, Fulton?«

»Wie immer, Lagersson.«

Der Kommandant atmete erleichtert auf. Jetzt dachte er völlig klar, war fieberfrei, und neue Kraft erfüllte ihn. Er ging energisch im Raum herum, erteilte Befehle und kontrollierte persönlich die empfindlichen Apparaturen.

Als Fulton mit dem Verbandzeug und allem übrigen wiederkam, ließ Lagersson die Mannschaft antreten. Er machte nur wenige Worte. Die Männer hörten blaß und schweigend zu. Dann begann Clift Evans zu weinen. Er war ein erwachsener Mann, der wie ein Kind weinte. »Warum?« brach es plötzlich aus ihm hervor. »Werfen wir doch das Examedrin weg, Kommandant. Werfen wir es weg, oder warten wir zwanzig Tage, bis die Konjunktion wieder eintritt ...«

»Du hast eine Frau, Clift, nicht wahr?«

Clift zog durch die Nase auf und nickte.

»Du hast wahrscheinlich auch ein Kind.«

»Zwei, Kommandant.«

»Dann denk einmal nach. Wir haben die Erde vor über einem Monat verlassen. Deine Frau und deine Kinder ... was ist, wenn sie inzwischen krank geworden sind?«

Clift fuhr sich mit dem Arm über die Nase und hob den Kopf. Einige Männer warfen dem Kommandanten drohende Blicke zu. Lagersson bemerkte es, entdeckte etliche zu Fäusten geballte Hände, erkannte, daß die Mannschaft unentschlossen schwankte, als warte sie auf ein Signal, auf ein Zeichen, um sich auf ihn zu stürzen. Er hob die Waffe und brachte sie in Anschlag. Die Männer entspannten sich langsam, die Fäuste öffneten sich, und die Gesichter wurden friedlicher.

Lagersson erklärte: »Wir gehen folgendermaßen vor. Als erster werde ich operiert, als letzter Fulton. Nicht, daß ich euch nicht vertraue – oder vielleicht doch; ich möchte jedenfalls nicht, daß es zu Unruhen kommt. Sofort danach werde ich mich nicht allzu wohl fühlen, und Fulton wird euch überwachen. Bis er an der Reihe ist, habe ich mich erholt. Die Reihenfolge der übrigen achtzehn werden wir auslosen.

Noch etwas. Vielleicht könnte die ›Ibis‹ starten, bevor alle Arme amputiert sind. Aber die letzten sollen sich keine Hoffnungen machen: wenn wir einen Arm verlieren müssen, dann wird es uns alle treffen, den Arzt natürlich ausgenommen. Und da ich unnötige Diskussionen vermeiden will, werde ich erst auf den Knopf der Anti-G-Anlage drükken, wenn zwanzig Arme draußen liegen. Dann werde ich auch die Waffe wegwerfen. Das ist alles.«

Alexej und Irina standen abseits und hielten einander umschlungen wie unschuldige Opfer, die den Gnadenstoß erwarten. Lagersson trat zu ihnen.

»Es tut mir leid, Alexej. Es tut mir wirklich leid, Irina. Ihr beiden ...« Er verstummte verlegen.

Alexej antwortete nicht, und auch Irina schwieg. Vier tränenfeuchte Augen starrten Lagersson an, der weiterging.

»Doktor!« rief er. Seine Stimme war rauh. »Ich bin bereit, Doktor, Sie können anfangen.«

UNBEKANNTER AUTOR
DES XXI. JAHRHUNDERTS

»David«, ruft Professor Kruppen. »Hast du das Stück gelesen?«

David tritt aus der Bank. Er wirkt verwirrt, seine Augen glänzen, und seine Wangen sind gerötet.

»Jetzt weißt du, warum Titan auch ›Der Mond mit den zwanzig Armen‹ heißt.«

»Ja.«

»Seit der Expedition der ›Ibis‹ sind vier Jahrhunderte vergangen. Du verstehst jetzt, warum heute noch der Orden des ›Purpurarms‹ die höchste Auszeichnung ist, die ein Raumfahrer nach einem Leben voller Verzicht und Opfer erhalten kann.«

»Ich verstehe es sehr gut. Was ist eigentlich aus Doktor Paulsen geworden?«

»Auch er hat viele Anerkennungen und Belohnungen bekommen. Dennoch sind sich die Geschichtsschreiber nicht einig. Einige behaupten, daß er ein paar Monate später bei einem alltäglichen Unfall das Leben verloren hat. Andere sind jedoch der Meinung, daß Paulsen sich absichtlich das Leben genommen hat.«

»Warum?«

»Das weiß ich nicht. Vielleicht wegen des Armes, des Armes, den ihm niemand amputieren konnte.«

David blickte zu Boden. Professor Kruppen hat das Thema gewechselt und spricht über den unendlichen, herrlichen Raum, über die unzähligen Welten, die sich jenseits aller menschlichen Vorstellungskraft befinden.

Dann setzt David sich wieder, und der Professor fährt mit dem Unterricht fort. Die Schüler lauschen konzentriert seiner leicht nasalen Stimme, wollen kein Wort versäumen.

Nur David hört nicht zu. Morgen und alle Tage danach wird er aufmerksam und eifrig lernen. Aber jetzt kann er es nicht, denn er weiß, daß er seinen Vater enttäuschen muß. Nein, er will nicht mehr Chirurg werden, der Garten der Erde erscheint ihm zu klein.

Er hebt den Blick und betrachtet die Himmelskarten an der Wand. Allmählich verschwindet seine Umgebung, und David befindet sich allein inmitten des zauberhaften Glanzes der Sterne.

Korok

Der Tiergarten von Anakee, einem heißen, trockenen Planeten im Zentrum des Andromeda-Nebels, war zwar nicht vollständig, aber doch der am besten ausgestattete des gesamten Universums. Die Fauna der unzähligen Welten, die dieser Galaxis angehörten, war in ihrer ganzen Vielfalt vertreten. Tausende ausgewählter, sorgfältig geordneter Exemplare lebten in durchsichtigen Würfeln aus polarisiertem Quarz, in denen die Umweltbedingungen des Ursprungsplaneten künstlich simuliert wurden.

Ein wirklich großartiger Zoo! Die Menschen von Anakee waren mit Recht stolz auf ihn. Und als es ihnen der ungeheure wissenschaftliche Forstschritt ermöglichte, den Sprung zu anderen Galaxien zu unternehmen, vergaßen sie nicht, die elektronischen Jäger in ihren überschnellen Raumschiffen zu verstauen.

In jedem Land gibt es Tiere, pflegten sie zu sagen. Sobald die Expedition zurückkehrte, würde ihr Tiergarten bestimmt durch neue und interessante Exemplare bereichert werden.

So geschah es eines schönen Tages, daß sich die Raumschiffe von Anakee am Rand der Milchstraße umsahen. Trupps von Spezialisten und Technikern erforschten Dutzende von Planeten mit ihren Satelliten, nahmen die vorgesehenen wissenschaftlichen Untersuchungen vor und ließen die Jäger von der Kette, je einen pro Planeten.

Der Korok – so hieß die Maschine, die Tiere jeder Art jagen konnte – ähnelte einer ungeheuren Spinne: acht mit Gelenken versehene Metallbeine, die eine Kugel mit einem Durchmesser von eineinhalb Metern trugen. Der Korok war unzerstörbar sowie atombomben- und strahlensicher. Er war mit einem Infrarot-Spektrofotometer ausgestattet, mit dem er die Beute automatisch aufspürte; er besaß eine praktisch unerschöpfliche Batterie und einen Neuronen-Paralysator, mit dem er das Tier lähmte, sobald er es eingeholt hatte.

Der Apparat auf Deneb IV gehörte zum neuesten Typ. Er verfügte sogar über einen speziellen, hypersensiblen Intelligenzmesser. Dadurch war es dem Korok möglich, nur die höher entwickelten, interessanten Tiere einzufangen. Die Menschen von Anakee hatten nicht die Absicht, eine Sammlung von primitiven, unterentwickelten Tieren heimzubringen. Sie wollten erstklassige Exemplare haben. Die Auswahl überließen sie dem Korok.

Harry Bulmer, Kommandant der »Golden Star«, landete etwas später auf Deneb IV. Sagen wir es gleich: Auch die Terrestrier trieben sich im Weltraum herum, aber ihre Forschungen beschränkten sich auf einen wesentlich kleineren Umkreis. Die terranischen Raumschiffe waren primitiv; sie erreichten Geschwindigkeiten, die weit über der des Lichts lagen, obwohl Einstein vor Jahrhunderten behauptet hatte, daß eine Geschwindigkeit von 300 000 Kilometern pro Sekunde niemals überschritten werden könnte. Dennoch handelte es sich um eine lächerliche Geschwindigkeit im Vergleich zu den Raumschiffen von Anakee, die die Verzerrungen des Hyperraums ausnützten, um in Sekundenschnelle ungeheure Entfernungen zurückzulegen.

Harry Bulmer gehörte zur Astrographie-Einheit, die Unterlagen für Sternenkarten sammelte und Planeten außerhalb des Sonnensystems erforschte. Als Deneb IV auf dem Bildschirm deutlich zu erkennen war, begriff Harry, daß es sich bei dem Planeten um einen schwierigen Fall handelte, und beschloß, ihn persönlich zu erforschen. Er setzte die »Golden Star« in eine Umlaufbahn und begab sich mit einer Raumfähre auf den Planeten.

Er prüfte die Luft: atembar. Daraufhin schnallte er sich ein leichtes Atemgerät um, verließ die Fähre, untersuchte das Gelände und sammelte Gesteins- und Sedimentproben ein. Da er auch noch eine Wasserprobe brauchte, machte er sich auf den Weg zu der dichten Vegetation am Rand der Lichtung.

Die Flora war ungewöhnlich, hatte vermutlich eine Silizium-, keine Kohlenstoffbasis. Er schnitt mit der Schere einige Bäumchen ab und steckte sie in die Tragtasche. Dann drang er weiter vor und gelangte zu einer zweiten, grasbestandenen Lichtung.

Ihm stockte der Atem. Harry war ein mutiger Mensch, hatte Hunderte Planeten erforscht und die haarsträubendsten Abenteuer erlebt. Aber das Schauspiel, das sich ihm bot, übertraf alle Erwartungen. In wenigen Metern Entfernung lagen die verschiedenartigsten Tiere steif und regungslos wie Statuen auf dem Boden. Es sah aus, als wären alle Vertreter der Fauna von Deneb IV hier zusammengekommen, um gemeinsam, friedlich und brüderlich zu ruhen.

Harry trat mit dem Desintegrator im Anschlag näher; beim geringsten Anzeichen einer Gefahr hätte er auf den Abzug gedrückt. Die Tiere bewegten sich nicht. Ihr monströses Aussehen beeindruckte ihn nicht so sehr wie die kalte Intelligenz, die in den weit geöffneten Augen funkelte.

Während er einige Fotos schoß, hörte er, wie im Wald dürre Zweige knackten. Es war daher angeraten, in Dekkung zu gehen. Harry versteckte sich hinter einem Gebüsch.

Als er den Korok sah, unterdrückte er nur mit Mühe einen Aufschrei. Die riesige Spinne aus Metall, die sich auf fünf ihrer acht Beine fortbewegte und mit den restlichen drei ihre Beute transportierte, war das Entsetzlichste und Unbegreiflichste, was er je erlebt hatte.

Der Korok trat zu den unbeweglichen Tieren und legte die gelähmte Beute auf die Erde. Dann begab er sich wieder auf die Suche nach neuen Exemplaren, doch nach wenigen Metern gab die kleine, aus der Kugel ragende periskopische Antenne einen Summton von sich. Der Korok blieb stehen und änderte die Richtung. Jetzt ging er auf Harry zu; offensichtlich hatte die Antenne ihn entdeckt, und der Korok verfolgte die neue Beute.

Harry zielte und feuerte. Keinerlei Wirkung; der Korok ging weiter. Harry feuerte noch zweimal, dann rannte er davon.

Ihm war klar, daß ihn die eingeschlagene Richtung immer weiter von der Raumfähre wegführte, aber jetzt war es zu spät, der Korok war ihm auf den Fersen und folgte ihm mit gleichbleibender Geschwindigkeit. Harry warf Desintegrator, Fotoapparat und die Tragtasche mit den Proben weg, so daß er sein Tempo steigern und einen Vorsprung von einigen hundert Metern erzielen konnte. Dann bog er nach links ab, denn er wollte die Fähre in einem großen Bogen erreichen. Allerdings war ihm klar, daß er drei Stunden dazu brauchen würde und daß er nicht die geringste Chance hatte durchzuhalten.

Er empfand stechende Schmerzen im Brustkorb, und sein Herz drohte zu bersten. Harry galt zu Recht als einer der intelligentesten Forscher im Galaktischen Korps. Sollte er wirklich nicht fähig sein, mit dem Korok fertigzuwerden? Er blieb stehen und wartete.

Als der Korok nur noch vier Meter von ihm entfernt war, rannte Harry zuerst nach rechts, und nach wenigen Schriten in einem Winkel von beinahe neunzig Grad nach links. Er hatte den Korok zwar näherkommen lassen, aber jetzt konnte er direkt auf die Raumfähre zulaufen und mußte keine Umwege mehr machen. Würde er es schaffen? Er lief seit über einer Stunde, seine Lunge brannte, und im Mund hatte er einen metallischen Geschmack.

Er rannte verzweifelt um sein Leben. Endlich erreichte er die Lichtung, auf der er die Fähre zurückgelassen hatte. Im Licht der roten Sonne glänzte sie in einem Kilometer Entfernung friedlich und einladend. Aber der Korok war ihm wieder dicht auf den Fersen. Das Klirren der acht Beine wurde immer lauter und bedrohlicher. Der Korok holte unerbittlich auf. Harrys Beine versagten ihm den Dienst, waren weich wie Gummi und knickten unter ihm ein.

Nur noch wenige Meter trennten ihn von der Tür der Fähre. Er stolperte über einen Stein, fiel hin und blieb schlaff liegen. Der Korok erreichte ihn.

Harry lag zwischen den acht Beinen unter der Kugel und starrte den Roboter entsetzt an. Die Maschine fuhr lange, dünne Metallsonden mit Kugeln und Elektroden an ihren Spitzen aus. Das ist das Ende, dachte Harry verzweifelt. Er spürte, wie er untersucht wurde, wie die Elektroden Brust,

Hals, Stirn und Schläfen berührten. Er schloß die Augen und wartete auf den Tod.

Die Angst war unnötig. Der Korok zog Elektroden und Sonden ein und machte kehrt. Harry sah ungläubig zu, wie er in einer Staubwolke über die Lichtung verschwand.

Unerklärlicherweise hatte der Korok beschlossen, Harry zu verschonen. Keuchend und schweißbedeckt kroch dieser in die Fähre und kehrte zu dem in Umlaufbahn befindlichen Raumschiff zurück. Als er seinen Bericht verfaßte, schrieb er neben den Namen des Planeten: GUW (Gefährliche, unbewohnbare Welt). Dann zeichnete er auf der galaktischen Karte einen roten Kreis um Deneb IV.

Er erfuhr nie, was ihn gerettet hatte. Er konnte nicht wissen, daß die Techniker von Anakee den Korok darauf programmiert hatten, nur Tiere mit überdurchschnittlicher Intelligenz einzufangen. Und bei der elektronischen Untersuchung durch den Korok hatte sich herausgestellt, daß Harry, der beste Forscher seiner Einheit, nur über unterdurchschnittliche Intelligenz verfügte, uninteressant und nicht würdig war, in den Tiergarten von Anakee aufgenommen zu werden.

Gute Nacht, Sofia

Graue und blaue Overalls bewegten sich die Straße entlang. Es gab keine anderen Farben als Grau und Blau. Es gab keine Geschäfte, keine Firmen, keine Bar, nicht einmal eine Auslage mit Spielzeug oder Kosmetika. Von Zeit zu Zeit befand sich in den rußgeschwärzten, schmutzverkrusteten, moosbedeckten Wänden eine Drehtür, die in einen Laden führte. Drinnen gab es den »Traum«; den Traumfilm, das Glück für jeden, für jede Geldbörse; dort gab es Sofia Barlow nackt für jeden, der sie kaufen wollte.

Sie waren sieben und sie kamen von allen Seiten auf ihn zu. Er versetzte einem von ihnen einen Kinnhaken, so daß der Sklave die grüne Marmortreppe hinunterkollerte. Ein zweiter drang keulenschwingend auf ihn ein. Er wich dem Schlag aus, bückte sich, packte den Sklaven und warf ihn gegen eine Tempelsäule. Als er sich dem dritten zuwandte, drückte ihm eine eiserne Faust von hinten die Kehle zu. Er versuchte, sich zu befreien, aber zwei weitere Sklaven ergriffen ihn an den Beinen und Armen.

Sie hoben ihn hoch und trugen ihn davon. Aus dem Hintergrund der ungeheuren Höhle ertönten die Klänge fremdartiger Musikinstrumente, eine zermürbende, aufreizende, sinnliche Musik.

Sie legten ihn nackt und gefesselt vor den Altar. Dann flüchteten die Sklaven in die Gänge, die sich in den Wänden der Höhle öffneten. Er nahm den Geruch von Harz, Moschus und Lavendel wahr, ein erregender Duft, den die Fakkeln und die glühenden Kohlenbecken verbreiteten.

Als die tanzenden Jungfrauen erschienen, verstummte die Musik für einen Augenblick und setzte dann um so intensiver wieder ein, diesmal in Begleitung eines verborgenen Chors.

Es war ein orgiastischer, rauschhafter Tanz. Die Jungfrauen glitten an ihm vorbei, berührten seinen Bauch, sein

Gesicht, seinen Brustkorb mit den leichten Schleiern, mit den langen, weichen Federn ihres Kopfschmucks. Diademe und Halsketten funkelten im Halbdunkel.

Schließlich fielen die Schleier langsam, einer nach dem anderen. Er sah die festen Brüste, spürte beinahe die weichen Glieder, die sich lasziv vor seinen Augen bewegten.

Dann unterbrach ein hallender Gongschlag den Tanz. Die Musik verstummte. Auch die Tänzerinnen verschwanden wie Gespenster im Hintergrund der Höhle, und in der tiefen Stille erschien die traumschöne Priesterin in einem Umhang aus Leopardenfell. Ihre kleinen, rosa Füße waren nackt, und in den Händen hielt sie ein langes, blauschimmerndes Messer. Ihre dunklen, tiefen Augen schienen ihm ins Herz zu sehen.

Wie lange dauerte die unerträgliche Spannung? Das Messer zerschnitt die Fesseln mit quälender Langsamkeit, die großen, schwarzen, feuchten, sinnlichen Augen ließen ihn nicht los, während sie verführerisch flüsternd unzusammenhängende Worte murmelte.

Sie führte ihn zum Altar. Der Umhang aus Leopardenfell glitt von ihren Schultern, sie streckte sich geschmeidig auf dem Boden aus und zog ihn zu sich hinunter.

In der Höhle, einer Muschel voller Geräusche und Schatten, kam und ging die Welt in einem rhythmischen Wiegen.

Bradley schaltete den Apparat aus und nahm den Kunststoffhelm ab. Er verließ schwer atmend die Kabine, fuhr sich mit der Hand über die schweißnasse Stirn und versuchte, sein wild klopfendes Herz unter Kontrolle zu bringen.

Zwanzig Techniker, der Regisseur und die Hauptdarsteller drängten sich um den Produzenten. Bradley sah sich suchend nach einer Sitzgelegenheit um.

»Ich möchte ein Glas Wasser«, sagte er.

Er ließ sich in einen tiefen Fauteuil fallen, wischte sich den Schweiß ab und holte tief Luft. Ein Techniker brachte ihm das Glas Wasser, und Bradley trank es in einem Zug aus.

»Was hältst du von dem Film?« fragte der Regisseur ungeduldig.

Bradley schüttelte unzufrieden den Kopf.
»So geht es nicht, Gustafson.«
Sofia Barlow blickte zu Boden. Bradley strich ihr über die Hand.
»Du bist nicht daran schuld, Sofia, du warst großartig. Ich ... ich habe Gefühle erlebt, die nur eine wirklich große Schauspielerin wecken kann. Trotzdem ist der Traumfilm als Ganzes verfehlt, unharmonisch, unausgewogen.«
»Was soll denn daran nicht stimmen?« wollte der Regisseur wissen.
»Gustafson! Ich habe dir erklärt, daß der Film unharmonisch ist, begreifst du denn nicht?«
»Natürlich begreife ich. Du behauptest, daß er unharmonisch, unausgewogen ist. Stimmt, die Musik ist indisch, vier Jahrhunderte alt, die Kostüme stammen aus Zentralafrika. Aber der Konsument kümmert sich nicht um solche Details, ihn interessiert ...«
»Gustafson! Der Konsument hat immer recht, vergiß das nicht. Hier handelt es sich aber nicht um Musik und Kostüme, der Fehler liegt anderswo: dieser Traumfilm würde sogar das Nervensystem eines Stiers zerrütten.«
Gustafson zog die Brauen in die Höhe.
»Gib mir das Drehbuch«, verlangte Bradley, »und hol den Gefühlstechniker.«
Er blätterte im Drehbuch und murmelte dabei unverständliche Worte vor sich hin, als wolle er seine Gedanken sammeln.
Schließlich schlug er das Heft zu. »Der Film beginnt also mit einer langen Reise im Kanu, der Held befindet sich allein in einer feindlichen, unbekannten Welt, es kommt zu einem Kampf mit den Kaimanen im Fluß, und das Kanu geht unter. Dann folgt der aufreibende Marsch durch den Dschungel, das wilde Handgemenge mit den Eingeborenen. Der Held wird in eine Hütte gesperrt, aber in der Nacht befreit ihn Aloa, die Tochter des Häuptlings, und erklärt ihm, wie er zum Tempel kommt. Als nächstes kommt die Liebesszene mit Aloa im Mondschein. Übrigens, wo steckt Moa Mohagry?«

Die Techniker und der Regisseur traten zu Seite, und Moa Mohagry, eine hochgewachsene Somalierin mit der ebenmäßigen Gestalt einer klassischen Statue, trat vor.

»Du warst gleichfalls großartig, Moa, aber wir müssen die Szene noch einmal drehen.«

»Noch einmal?« wiederholte Moa. »Ich kann die Szene hundertmal wiederholen, aber ich bezweifle, daß sie dadurch besser wird. Ich habe mich vollkommen verausgabt, Bradley, bis an die Grenzen meiner Leistungsfähigkeit.«

»Genau das ist der Fehler, den Gustafson begeht. In diesem Traumfilm kommt die Hauptszene am Schluß, wenn die Priesterin den Helden verführt. Alle übrigen Szenen müssen der Steigerung dienen, sie dürfen nur Andeutungen, Vorbereitung sein. Man kann keinen Traumfilm machen, der aus lauter Hauptszenen besteht.«

Er wandte sich an den Gefühlstechniker.

»Was für einen Index hat der Mittelteil?«

»In der Szene mit Aloa?«

»Ja.«

»Vierundachtzig komma fünf.«

»Und in der Schlußszene?«

»Etwas unter siebenundneunzig.«

Bradley kratzte sich am Hals.

»Theoretisch könnte es gehen, praktisch aber bestimmt nicht. Heute früh habe ich mir noch einmal die Szenen des ersten Teils angesehen. Sie sind perfekt. Aber der Film hört nicht am Ufer des Flusses auf, wenn Aloa sich dem Helden hingibt. Es gibt dann einige ermüdende Szenen, noch einen Marsch durch den Dschungel, den Kampf mit den Tempelsklaven. Wenn der Konsument diesen Punkt des Films erreicht hat, ist er erschöpft, seine gefühlsmäßige Reaktionsfähigkeit auf ein Minimum reduziert. Der erotische Tanz der Jungfrauen löst das Problem nur teilweise. Ich habe den Film zweimal gesehen, und deshalb habe ich die Szene mit Sofia in ihrer ganzen stilistischen Vollkommenheit erfassen können. Aber wir dürfen den absoluten nicht mit dem relativen Index verwechseln. Nur letzterer zählt. Wenn wir die Szenen so lassen, wie sie sind, und den Film schneiden, würde der Index der Reaktionsfähigkeit am Schluß trotz Sofias Glanzleistung unter vierzig Punkte fallen.«

»Jetzt übertreibst du aber, Bradley«, beschwor ihn der Regisseur.

»Das stimmt nicht. Ich wiederhole, daß die Schlußszene ein Meisterwerk ist, aber der Konsument erlebt sie müde und bereits befriedigt, so daß ihm selbst die köstlichste Frucht geschmacklos vorkommen muß. Du kannst nicht erwarten, Gustafson, daß Sofia Wunder wirkt, die Aufnahmefähigkeit des Nervensystems eines Menschen hat Grenzen und gehorcht bestimmten Gesetzen.«

»Was sollen wir also tun?«

»Hör mir zu, Gustafson. Ich war fünfundzwanzig Jahre lang Regisseur, und seit sechs Jahren bin ich Produzent. Ich habe bestimmt genügend Erfahrung, um dir einen Rat geben zu können. Wenn du den Traumfilm so läßt, wie er ist, gebe ich ihn nicht zur Aufführung frei. Ich kann es nicht. Du verärgerst nicht nur das Publikum, sondern gefährdest auch die Karriere einer großen Schauspielerin wie Sofia Barlow. Hör auf mich, dämpfe alle Szenen bis auf die letzte, wirf die Liebesszene mit Aloe hinaus, reduziere sie auf ein erotisches Intermezzo.«

Moa Mohagry machte eine zornige Bewegung. Bradley packte sie am Handgelenk und zwang sie, sich auf die Lehne seines Stuhls zu setzen.

»Glaub nicht, Moa, daß ich es darauf angelegt habe, dich um deinen Erfolg zu bringen. Ich gebe gern zu, daß du über Talent verfügst. Die Szene am Flußufer läßt Feuer, Temperament und eine unschuldige, ursprüngliche Leidenschaftlichkeit erkennen, die jeden Konsumenten faszinieren müssen. Du warst ausgezeichnet, Moa. Aber ich kann nicht einen verpfuschten Film freigeben, der Millionen kostet, das siehst du doch ein. Ich werde den Produktionskoordinatoren einige Filme vorschlagen, in denen du die Hauptrolle spielen wirst. Es gibt Millionen Konsumenten, die verrückt nach Traumfilmen sind, die in einer primitiven Umgebung spielen. Du wirst überwältigenden Erfolg haben, das verspreche ich dir. Aber nicht hier, nicht in diesem Film.«

Er stand auf; seine Beine trugen ihn kaum noch.

»Ich rate dir nochmals, Gustafson: Reduziere auch die Kampfszenen mit den Sklaven. Zuviel Bewegung, zuviel Action. Es wird ungeheuer viel nervliche Energie vergeudet.«

Er entfernte sich schwankend, und die Techniker folgten ihm.

»Wo ist Sofia?« fragte er beim Ausgang.

Sofia Barlow lächelte ihm zu.

»Komm in mein Büro«, forderte Bradley sie auf. »Ich muß mit dir sprechen.«

»Schön, ich erzähle dir nichts Neues, es sind alte, abgedroschene Phrasen, die du in der Schule hundertmal gehört hast. Dennoch solltest du über sie nachdenken.«

Bradley ging langsam mit auf dem Rücken verschränkten Händen im Zimmer auf und ab. Sofia lehnte im Fauteuil. Von Zeit zu Zeit streckte sie ein Bein aus und betrachtete ihren Schuh.

Bradley blieb vor ihr stehen.

»Was ist mit dir los, Sofia? Steckst du in einer Krise?«

Sie machte eine fahrige, ärgerliche Handbewegung. »Ich in einer Krise?«

»Ja. Deshalb habe ich dich ins Büro kommen lassen. Ich will dir natürlich keinen Vortrag halten, sondern dich nur an die Voraussetzungen erinnern, auf denen das System beruht. Ich bin nicht mehr jung, und es gibt Dinge, die ich sofort, beim ersten Anzeichen, erkenne. Du verfolgst eine Chimäre, Sofia.«

»Was ist eine Chimäre, Bradley?«

»Ich habe gesagt, daß ich gewisse Dinge sofort erkenne. Du befindest dich in einer Krise, Sofia. Ich würde mich nicht wundern, wenn sie mit dem erbarmungslosen Propagandafeldzug dieser Schweine von der Anti-Traum-Liga zusammenhängt, die unsere soziale Ordnung zerstören wollen.«

Sofia schien die Anspielung nicht zu verstehen.

»War Moas Leistung wirklich gut?«

Bradley lockerte sich den Hemdkragen.

»Natürlich. Die Moa wird ihren Weg machen, davon bin ich überzeugt.«

»Ist sie besser als ich?«

Bradley knurrte.

»Solche Fragen sind sinnlos.«

»Ich habe mich doch klar ausgedrückt. Ich möchte wissen, wer dir besser gefallen hat: Moa oder ich.«

»Und ich wiederhole, daß deine Frage dumm ist, daß sie keinen Sinn hat, und daß sie mich in der Überzeugung bestärkt, daß du dich in einer Krise befindest. Sie wird vorbeigehen, Sofia. Alle Schauspielerinnen überwinden früher oder später dieses Stadium. Anscheinend geht es nicht anders.«

»Ich möchte etwas wissen, Bradley, etwas, das in den Schulen nicht gelehrt wird, etwas, worüber niemand spricht. *Vorher!* Was war vorher? Waren wirklich alle Menschen unglücklich?«

Bradley lief wieder im Zimmer auf und ab.

»Vorher gab es das Chaos.«

»Bradley! Ich möchte wissen, ob sie wirklich unglücklich waren.«

Der Mann breitete hilflos die Arme aus.

»Ich weiß es nicht, Sofia. Zu jener Zeit war ich noch nicht auf der Welt. Eines steht fest: wenn sich das System durchgesetzt hat, dann nur deshalb, weil die Umstände es ermöglicht haben. Du mußt dir über eine einfache Tatsache im klaren sein: die Technologie hat die Erfüllung aller unserer Wünsche, selbst der ausgefallensten, ermöglicht. Die Technik, der Fortschritt, die Vervollkommnung der Instrumente, die genaue Kenntnis unseres Gehirns, unseres ›Ichs‹, das alles ist real, konkret. Daher sind auch unsere Träume Wirklichkeit. Vergiß nicht, Sofia, daß der Traumfilm nur in den seltensten Fällen der Bequemlichkeit dient oder eine Kompensation darstellt. Beinahe immer ist er Selbstzweck, so wie ich vor kurzer Zeit deinen Körper, deine Worte, dein Parfüm genossen habe.«

»Ja, aber es handelt sich doch nur um ein künstliches Produkt.«

»Das stimmt, aber es war mir nicht bewußt. Außerdem ändert sich im Lauf der Zeit auch der Inhalt der Worte. Du verwendest das Wort *künstlich* in dem abwertenden Sinn, den es vor zwei Jahrhunderten hatte. Heute jedoch ist ein künstliches Produkt kein Ersatz mehr, Sofia. Das Licht einer richtig eingestellten Fluorlampe ist besser als das Sonnenlicht. Genauso ist es bei dem Traumfilm.«

Sofia betrachtete ihre Fingernägel.

»Wann hat es begonnen, Bradley?«

»Was?«

»Das System.«

»Vor fünfundachtzig Jahren, das müßtest du doch wissen.«

»Ich weiß es, aber ich habe vom Traum gesprochen. Wann haben die Menschen begonnen, ihn der Wirklichkeit vorzuziehen?«

Bradley drückte die Finger auf die Nasenwurzel, als wolle er sich konzentrieren.

»Die Entwicklung des Films begann Anfang des zwanzigsten Jahrhunderts. Zuerst handelte es sich um zweidimensionale Bilder, die sich auf einer weißen Leinwand bewegten. Dann kam der Tonfilm, die Breitwand und schließlich der Farbfilm. Die Konsumenten saßen zu Hunderten in den Vorführsälen, sahen und hörten den Film, empfanden ihn aber nicht, bestenfalls gelang es ihnen, indem sie ihre Phantasie ins Spiel brachten, um eine unbewußte Identifizierung zu erreichen. Offensichtlich handelte es sich beim Film um einen Ersatz, ein wirklich künstliches Produkt, mit dem man die Sehnsucht des Publikums nach Leidenschaft und Abenteuern befriedigte. Dennoch stellte der Film schon damals ein mächtiges Instrument der psychisch-sozialen Veränderung dar. Die Frauen jener Epoche ahmten die Bewegungen, die Sprechweise, die Kleidung der gefeierten Schauspielerinnen nach, und viele Männer versuchten, wie die berühmten Schauspieler auszusehen. Der Film war der Schlüssel zum Leben. Die gesamte Wirtschaft wurde von ihm beeinflußt: Die ungeheure Nachfrage nach Konsumgütern – Kleidung, Autos, luxuriös ausgestattete Wohnungen

– war zwar auch auf die natürlichen Bedürfnisse zurückzuführen, aber vor allem auf die gezielte, allgegenwärtige Reklame, die den Konsumenten den ganzen Tag über stimulierte und verführte. Filmpropaganda. Bereits damals strebte der Mensch nach dem Traum, er war von ihm Tag und Nacht besessen, aber noch weit davon entfernt, ihn zu verwirklichen.«

»Sie waren also unglücklich?«

»Noch einmal: Ich weiß es nicht. Ich beschränke mich darauf, dir die Entwicklung zu schildern. Um die Mitte des zwanzigsten Jahrhunderts gab es bereits die Standardfrau, die Standardsituation. Es gab zwar Regisseure und Produzenten, die damals erfolgreiche kulturelle und ideologische Filme herausbrachten, um ihre Ideen zu propagieren, um das geistige Niveau der breiten Masse zu heben. Doch dieses Phänomen war nur von kurzer Dauer. Neunzehnhundertsechsundfünfzig entdeckten die Wissenschaftler die Lustzentren im Gehirn und bewiesen durch Experimente, daß die elektrische Stimulierung eines bestimmten Teils der Gehirnrinde beim Versuchsobjekt zu einer heftigen, wollüstigen Reaktion führt. Erst zwanzig Jahre später standen die Vorteile dieser Entdeckung allen Menschen zur Verfügung. Die Vorführung des ersten dreidimensionalen Films, an dem die Zuschauer teilweise teilnahmen, bedeutete das Todesurteil für den intellektuellen Film. Das Publikum nahm jetzt die Parfüms, die Gefühle wahr, konnte sich bereits zum Teil mit den Ereignissen auf der Leinwand identifizieren. Die Wirtschaft erlebte einen noch nie dagewesenen Umschwung. Die Menschheit sehnte sich nach Vergnügen, Luxus und Macht und konnte diese Wünsche mit geringen finanziellen Mitteln befriedigen.«

»Und der Traumfilm?«

»Der Traumfilm tauchte einige Jahre später auf. Das Publikum ließ sich rasch davon überzeugen, daß die Realität nie an den Traum heranreichen kann. Wenn die Teilnahme total ist, ist die Konkurrenz durch die Natur lächerlich, eine Auflehnung daher sinnlos. Das ist das System, Sofia. Deine vorübergehenden Krisen werden es sicherlich nicht ändern, genausowenig wie die melodramatischen Behauptungen der Naturalisten. Bei ihnen handelt es sich um skrupellose Leute, die Geld sammeln, um einer von Anfang an falschen Idee zum Durchbruch zu verhelfen, doch nur zu ihrem persönlichen Vorteil. Du lachst? Vergangene Woche hat Herman Wolfried, einer der Leiter der Anti-Traum-Liga, die Büros der Norfolk Company aufgesucht. Und weißt du auch, warum? Er wollte einen privaten Traumfilm bestellen, fünf berühmte Schauspielerinnen in einer wilden Orgie vereint. Die Norfolk hat den Auftrag angenommen, und wenn Wolfried dabei Haare läßt – sein Pech.«

Sofia Barlow sprang auf.

»Du lügst, Bradley! Du lügst absichtlich.«

»Ich besitze Beweise, Sofia. Die Anti-Traum-Liga ist eine Vereinigung, die Einfältige, unheilbare Hypochonder und Traditionalisten einfängt. Die Basis verfügt vielleicht noch über einen Rest von religiösem Gefühl, aber an der Spitze regiert nur die Geldgier.«

Sofia war im Begriff, in Tränen auszubrechen. Bradley trat zu ihr und legte ihr väterlich die Hände auf die Schultern.

»Denk nicht mehr daran, Sofia.«

Er schob sie zum Tisch, öffnete eine Kassette und entnahm ihr ein flaches, quadratisches Schächtelchen.

»Das ist für dich.«

»Was ist es?«

»Ein Geschenk.«

»Für mich?«

»Ja, ich habe dich auch deshalb ins Büro kommen lassen. Du hast für unsere Produktionsgesellschaft zwanzig Traumfilme gedreht. Eine beachtliche Zahl. Das Geschenk der Firma soll eine kleine Anerkennung deiner Verdienste darstellen.«

Sofia wollte die Schachtel öffnen.

»Laß es bleiben«, riet ihr Bradley. »Du kannst zu Hause nachsehen. Und jetzt geh, ich habe noch viel Arbeit.«

Vor dem Gebäude wartete eine Reihe von Lufttaxis. Sofia stieg in das erste, entnahm der Seitenlehne eine Zeitschrift, zündete eine Zigarette an und betrachtete geschmeichelt ihr

Bild auf der Titelseite. Das Lufttaxi hob sanft vom Boden ab und nahm Kurs auf das Stadtzentrum.

Ihre Lippen waren verführerisch halb geöffnet, der Kontrast zwischen Licht und Schatten, der leicht zweideutige Ausdruck ... Jede Einzelheit stimmte genau.

Sofia sah sich wie in einem Spiegel. Früher einmal hatte die Arbeit einer Schauspielerin auch Schattenseiten gehabt. Wenn eine Liebesszene gedreht wurde, gab es einen »Partner« aus Fleisch und Blut, den man umarmen, dessen körperlichen Kontakt man ertragen mußte – die Küsse, die einem ins Gesicht geschleuderten Worte. Die Kamera hielt die Szene fest, die die Zuschauer dann auf der Leinwand sahen. Heute war es anders. Es gab »Adam«, die aus elektronischen Systemen bestehende Maschine, in dessen Optik die beiden winzigen Kameras untergebracht waren. »Adam« war ein Wunder an Wahrnehmungsfähigkeit: Wenn ihn die Schauspielerin liebkoste, nahm er das Gefühl der Liebkosung auf und speicherte es mit dem Bild auf dem Traumfilm. So empfand der Konsument, der den Film dann abspielte, die Liebkosung in ihrer vollen Intensität. Der Zuschauer nahm nicht mehr passiv an dem Film teil, sondern war dessen Held.

Natürlich gab es Traumfilme für Männer und Frauen. Sie waren nicht austauschbar; wenn ein neugieriger Konsument eine für Konsumentinnen bestimmte Filmspule in seinen Empfangshelm eingesetzt hätte, wären entsetzliche Kopfschmerzen das Ergebnis gewesen; außerdem bestand die Gefahr, daß die empfindlichen Stromkreise des Apparats durchschmolzen.

Sofia befahl dem Fahrer anzuhalten. Das Lufttaxi war erst einige Blocks weit geflogen, aber sie wollte ein Stück zu Fuß gehen.

Graue und blaue Overalls bewegten sich die Straße entlang. Es gab keine anderen Farben außer Grau und Blau. Es gab keine Geschäfte, keine Firmen, keine Bar, nicht einmal eine Auslage mit Spielzeug oder Kosmetika. Von Zeit zu Zeit befand sich in den rußgeschwärzten, schmutzverkrusteten, moosbedeckten Wänden eine Drehtür, die in einen

Laden führte. Drinnen gab es den »Traum«; den Traumfilm, das Glück für jeden, für jede Geldbörse; dort gab es Sofia Barlow nackt für jeden, der sie kaufen wollte.

Sie waren unterwegs. Und Sofia Barlow war mit ihnen unterwegs, ein Heer von Halluzinierenden, Menschen, die drei Stunden täglich unter Qualen arbeiteten, die sich nach der Stille ihrer elenden Unterkunft sehnten: ein Zimmer, ein Amplex, ein Helm. Und Kassetten, Kassetten mit Traumfilmen, Millionen Träume von Liebe, Macht und Ruhm.

»Bürger!«

Die Stimme klang laut und klar, wie in einer Traumrede, wenn dem Träumer die ganze Welt zu Füßen liegt.

»Bürger! Ein Philosoph der Antike hat behauptet, daß die Tugend eine geistige Gewohnheit ist. Ich will nicht das Unmögliche von euch verlangen, ich wäre verrückt, wenn ich einen sofortigen, vollständigen Verzicht forderte. Seit Jahren sind wir Sklaven und Hörige, Gefangene im Labyrinth des Traums, seit Jahren tappen wir in der Finsternis der Nicht-Kommunikation und der Isolation herum. Bürger, ich fordere euch auf, frei zu sein. Freiheit ist Tugend, Tugend ist Gewohnheit. Wir haben zu lange die Natur betrogen, jetzt müssen wir Abhilfe schaffen, bevor der Geist für immer stirbt.«

Wie oft hatte sie solche Reden schon gehört? Sie fand die Propaganda der Anti-Traum-Liga widerwärtig, sie hatte sie immer zutiefst irritiert. In letzter Zeit hatte sie sie jedoch beunruhigt. Vielleicht deshalb, weil sie eine Schauspielerin war, und wenn die Redner auf den Plätzen von Sünde, von Verdammnis sprachen, wenn sie die Konsumenten aufforderten, auf die »Träume« zu verzichten, regte sich in ihr das Gefühl, daß sie angeklagt wurde, empfand sie die Verantwortung für das gesamte System. Vielleicht enthielten die pathetischen Ansprachen der Redner ein Körnchen Wahrheit, vielleicht hatten sie ihnen in der Schule nicht alles gesagt, vielleicht hatte Bradley unrecht.

Der dicke Mann auf der Tribüne fuchtelte mit den Armen, schlug mit der Faust auf das Rednerpult und lief rot an. Niemand hörte ihm zu.

Als ein verschleiertes Mädchen aus einer Seitentür trat, wurden einige Leute in der Menge aufmerksam. Aus den Lautsprechern drang alte orientalische Musik. Das Mädchen begann zu tanzen und die Schleier der Reihe nach wegzuwerfen. Sie war schön, sehr jung, ihre Bewegungen waren ruckartig, aber geschmeidig und rhythmisch.

Eine Dilettantin, dachte Sofia, ein Starlet.

Als das Mädchen nackt mitten auf der Tribüne stand, setzten sich auch die wenigen Männer, die noch gewartet hatten, in Bewegung. Einige lachten, andere schüttelten enttäuscht den Kopf.

Die Mädchen von der Anti-Traum-Liga hielten die Fußgänger auf, drängten sich an die Männer und boten ihnen auf absurde und doch rührende Art den Busen dar.

Sofia beschleunigte ihre Schritte, aber jemand faßte sie am Arm. Es war ein großer junger Mann mit braunen Haaren, dessen schwarze Augen sie fixierten.

»Was willst du?«

Der junge Mann zeigte auf das rote Wappen, das er in der Herzgegend auf dem Overall trug.

»Ich gehöre zur Anti-Traum-Liga.«

»Ja und? Was willst du?«

»Dir einen Vorschlag machen.«

»Sprich.«

»Komm heute nacht zu mir.«

Sofia begann zu lachen.

»Zu dir! Wozu? Was hätte ich davon?«

Der junge Mann lächelte geduldig, aber auch selbstsicher und überlegen. Er war offensichtlich an solche Einwände gewöhnt.

»Du hättest nichts davon«, gab er ruhig zu. »Aber es ist unsere Pflicht ...«

»Vergiß es. Wir würden die Nacht damit verbringen, einander zu beschimpfen, wenn wir versuchen, zu einer natürlichen Beziehung zu gelangen. Junge, dein Freund auf der Tribüne verzapft eine Menge Unsinn.«

»Es ist kein Unsinn. Die Tugend ist Gewohnheit. Ich könnte ...«

»Nein, du kannst nicht. Du kannst nicht, weil du mich nicht begehrst, und du begehrst mich nicht, weil ich wirklich, real, lebendig und menschlich bin, weil ich ein Ersatz wäre, der Ersatz für eine Kassette, die du um wenig Geld kaufen kannst. Und du? Was könntest du mir bieten? Dummer, eingebildeter, junger Idiot.«

»Bitte, hör mir zu ...«

»Leb wohl«, unterbrach ihn Sofia und ging weiter.

Sie war dem jungen Mann gegenüber zu schroff gewesen. Sie hatte unnötig scharf reagiert, sie hätte den Vorschlag genauso zurückweisen können wie die übrigen Passantinnen, liebenswürdig oder wenigstens lächelnd. Schließlich handelte dieser Junge im guten Glauben; mit welchem Recht hatte sie ihn beschimpft, ihn vielleicht an einer Stelle getroffen, an der er am empfindlichsten war? Im guten Glauben, schön. Aber die Anführer? Bradley hatte ihr mehrmals versichert, daß die Leiter der Anti-Traum-Liga ein Haufen Schweine waren. Und wenn Bradley gelogen hatte?

Diesen Verdacht wurde sie seit einigen Wochen nicht mehr los. All diese Reden auf den Plätzen, die Plakate an den Wänden, die Propagandabroschüren, der öffentliche Vorschlag, natürliche Beziehungen mit den Aktivisten der Liga auszuprobieren ... War es möglich, daß alles nur eine Lüge war? Vielleicht lag in den Behauptungen der Redner etwas Wahres, vielleicht war die Welt wirklich bis ins Mark verfault, und nur wenige erleuchtete Menschen erkannten den schrecklichen Verfall.

Inselmenschen. Das war aus ihnen geworden. Auf der einen Seite die Klasse der Produzenten, die Klasse, die die Macht in Händen hielt und zu der sie als Schauspielerin gehörte; auf der anderen Seite das gefügige, blinde Heer der Konsumenten, Männer und Frauen, die Einsamkeit und Dunkelheit suchten, Seidenraupen, die sich in den Kokon ihrer Träume eingesponnen hatten, blasse, blutlose, durch die Passivität vergiftete Larven.

Sofia war ein Retortenkind. Wie alle. Sie kannte ihre Mutter nicht. Millionen Frauen begaben sich einmal monatlich zur Lebensbank, Millionen Männer erreichten den Orgasmus durch den Traum und deponierten den Samen bei der Bank, die ihn prüfte und ihn gemäß den strengen genetischen Kriterien verwendete. Die Ehe war eine archaische Institution. Sofia war die Tochter eines Traums, eines unbekannten, anonymen Mannes, der im Traum eine Schauspielerin besessen hatte. Jeder Mann über vierzig konnte ihr Vater, jede Frau zwischen vierzig und achtzig ihre Mutter sein.

Als sie jünger gewesen war, hatte dieser Gedanke sie zutiefst gestört, dann hatte sie sich daran gewöhnt. Doch in letzter Zeit waren die Zweifel und Ängste der Pubertät wieder zum Vorschein gekommen, Geier, die geduldig kreisten und auf einen Augenblick der Schwäche warteten. Wer war der junge Mann, der sie auf der Straße angesprochen hatte? Der Vertreter einer sittlich höher stehenden Menschheit oder ein Dummkopf?

Wenn er ihr gesagt hätte: »Ich habe dich erkannt, Sofia. Ich habe dich trotz der Standardkleidung und der dunklen Brille erkannt ...« Wenn er gesagt hätte: »Du bist meine Lieblingsschauspielerin, ich denke Tag und Nacht nur noch an dich ...« Oder wenn er gesagt hätte: »Ich möchte dich kennenlernen, so wie du wirklich bist ...«

Statt dessen hatte dieser Tölpel von Pflicht gesprochen. Er hatte ihr vorgeschlagen, eine Nacht mit ihm zu verbringen, aber nur, um auf diese Weise der neuen Moral zu entsprechen. Tugend ist Gewohnheit. Gewohnheit, Gewöhnung an die natürliche Beziehung. Liebt einander, Männer und Frauen, vereinigt euch voll Selbstverleugnung. Heute wird euer Liebesakt zu der Niederlage und dem Untergang eines verabscheuungswürdigen Systems führen. Vereinigt euch, vereinigt euch körperlich, die wunderbare Sinnenfreude wird sich zweifellos einstellen, ein Freudenfest von Tönen und Licht wird eure Seele erfüllen, euren Körper erheben. Und unsere Kinder werden sich wieder in der Wärme des Mutterleibes entwickeln, nicht mehr im kalten Glas einer Retorte. Das hatte doch der dicke Mann gepredigt.

Sie trat in einen überfüllten Laden, drängte sich zu dem langen Ladentisch durch, auf dem Hunderte Traumfilme in eleganten Plastikschachteln ordentlich gestapelt lagen. Es bereitete ihr Vergnügen, die Inhaltsangebe auf der Verpackung zu lesen, die Gespräche zwischen den Käufern und die Ratschläge zu belauschen, die die Verkäufer unentschlossenen Konsumenten zuflüsterten.

Sie las einige Titel.

Singapore. Eurasische Sängerin (Milena Chung-lin) fliegt mit dem Konsumenten. Abenteuer im Hafengebiet, spielt um 1950. Liebesnacht auf dem Sampan.

Die Schlacht. In der Person eines heldenhaften Offiziers dringt der Konsument in das feindliche Lager ein und jagt das Brennstofflager in die Luft. Grausamer, siegreicher Schlußkampf.

Ekstase. Der Privatjet einer persischen Fürstin, großartig von Sofia Barlow verkörpert, stürzt in den Grand Canyon. Die Fürstin und der Pilot (Konsument) verbringen die Nacht in einer Höhle.

In den Schachteln befanden sich ausführliche Beschreibungen. Es bestand keine Gefahr, daß die Begierde des Konsumenten nachließ, weil er den Inhalt kannte. Die Amplex-Projektion war von einer geistigen Erschlaffung begleitet, bei der die Erinnerung an die Fakten vollkommen aussetzte. Wenn man die erste Szene erlebte, hatte man keine Ahnung, was später geschehen würde. Nicht einmal, wenn man die Inhaltsangaben auswendig gelernt hatte, nicht einmal, wenn man den gleichen Film schon zwanzigmal erlebt und genossen hatte. Das bewußte Ich, das Alltags-Ich, verschwand; es wurde von Anfang an von den durch die Kassette gelieferten Emotionen ausgelöscht. Man nahm die Persönlichkeit, die Bewegungen, die Stimme, die Gefühle an, die einem der Film suggerierte.

Ein Verkäufer trat zu ihr.

»Brauchen Sie einen Rat für ein Geschenk?«

Sofia bemerkte plötzlich, daß sie die einzige Frau unter den Kunden war. Sie befand sich in der Männerabteilung. Sie ging zum gegenüberliegenden Pult und mischte sich unter die Frauen aller Altersstufen, die sich vor den Hochglanzbildern der berühmten Schauspieler drängten.

Der Raum gehört uns. Der Kommandant eines Raumschiffs (Alex Morrison) verliebt sich in die Bordärztin (Konsumentin), landet mit dem Raumschiff auf einem Jupitermond, setzt die Mannschaft dort aus und fliegt mit der Geliebten allein weiter. Galaktische Kreuzfahrt.

Schildkröte. Spielt 1650. Edler Pirat (Manuel Alvarez) entführt Hofdame (Konsumentin). Eifersucht und Duelle. Liebe und Meer unter heißem Himmel.

»Wie ist er?« fragte ein hochgewachsenes Mädchen, dessen wohlgeformter Körper in einem zu engen Overall steckte.

»Einmalig«, erklärte ihre Nachbarin. »Ich habe sofort weitere vier Kopien gekauft.«

Die erste blieb dennoch skeptisch. Sie reckte den Hals, stellte sich auf die Zehenspitzen und versuchte, die Inhaltsangaben auf den weiter entfernten Schachteln zu lesen. Sie sagte leise etwas, ihre Freundin antwortete noch leiser. Sofia ging weiter, blieb kurz bei der Abteilung »Klassiker« stehen und warf einen Blick in den Hintergrund des Ladens, wo Männer sich um die sogenannten Gelegenheitskäufe drängten.

Als sie noch zur Schule ging, hatte sie gelernt, daß für die Menschen einst alles, was mit dem Sex zusammenhing, tabu gewesen war. Es war äußerst ungehörig, über die verschiedenen Aspekte des Liebeslebens zu sprechen oder zu schreiben, und keine Frau hätte jemals mit einem Fremden über ihre sexuellen Wünsche und Phantasien geredet. Es gab pornographische Fotos und Bücher, von denen die meisten verboten waren. Wenn jemand so ein Werk kaufte, tat er es heimlich, fühlte sich schuldig oder war verlegen, auch wenn die Zensur es freigegeben hatte. Doch bereits zu Beginn des »Systems« hatte diese primitive Haltung sexueller Schamhaftigkeit aufgehört. Wenn es überhaupt noch Schamhaftigkeit gab, dann in manchen Träumen, in billigen Filmen für Fünfzigjährige, in denen der Konsument ein junges, hold errötendes, bebendes Mädchen verführte oder vergewaltigte. Aber aus der Wirklichkeit war sie verschwunden, zumindest aus der Sprache. Jeder konnte unbefangen einen erotischen Film verlangen, genau wie einen beliebigen Kriegs- oder Abenteuerfilm.

Und die echte Scham? Wer von all den Menschen, die sich an den Ladentischen drängten, um den Luxus in der Schachtel zu kaufen, hätte den Mut aufgebracht, sich inmitten der Menge auszuziehen? Wer wäre nicht entsetzt gewesen, wenn man ihn zu einer natürlichen Beziehung gezwungen hätte? Nur die Aktivisten der Anti-Traum-Liga, die unbefangen die unglaublichsten Anträge stellten. Aber wer weiß, ob sie all das, was sie für ihre heiligste Pflicht hielten, genauso unbefangen erfüllten. In Wirklichkeit lebten Männer und Frauen seit einem Jahrhundert in beinahe vollkommener sexueller Enthaltsamkeit. Die Einsamkeit, das genau dosierte Halbdunkel in den engen häuslichen vier Wänden und ein Fauteuil mit eingebautem Amplex. Mehr wollte die Menschheit nicht. Angesichts der Suggestionskraft des Traumes sehnte sich niemand mehr nach einer behaglichen Wohnung, nach eleganten Kleidern, nach einem Luftauto und anderen Gebrauchsgegenständen. Warum sollte man sich anstrengen, um reale Ziele zu erreichen, wenn man mit einem Traumflug für wenig Geld eine Stunde lang wie ein Nabob leben konnte, herrliche Frauen um sich scharte, bewundert, bedient, verehrt wurde?

Acht Milliarden menschlicher Wesen lebten in schmutzigen Zellen, allein, in winzigen Wohneinheiten und ernährten sich von Vitaminkonzentraten und Sojamehl. Und sie empfanden nicht das Bedürfnis, wirklich zu konsumieren. Längst war die Verbrauchsgüterindustrie, deren Absatz radikal zurückgegangen war, von den Finanzgruppen aufgegeben worden. Sie hatten ihr Kapital in die Produktion von Traumfilmen investiert, weil das die einzige Ware war, nach der Nachfrage bestand.

Sie blickte hinauf zur Leuchttabelle, und ihr ekelte vor sich selbst. Die Zahlen sprachen eine deutliche Sprache, die Tabelle mit den Verkaufsziffern war eindeutig. Sie war die gefragteste Schauspielerin! Ihre Traumfilme wurden am meisten gekauft.

Sofia verließ den Laden und ging mit gesenktem Kopf

langsam nach Hause. Sie wußte nicht, was sie von den Männern halten sollte, die ihr entgegenkamen und sie nicht erkannten. Waren sie ihre Sklaven oder ihre Herren?

Das Videofon klingelte. Es war ein Lichtstreifen in einem Abgrund aus schwarzem Samt, ein anhaltendes Läuten, das aus erhabenen Kathedralen kam, deren Türme in ein blasses Morgengrauen ragten.

Sofia streckte die Hand nach dem Knopf aus.

Eine rote Schlange zuckte über den Bildschirm, zögerte, zerplatzte und verschwand; auf dem Schirm erschien Bradleys Gesicht.

»Was ist los?« fragte Sofia schlaftrunken. »Wie spät ist es denn?«

»Es ist Mittag. Wach auf, Mädchen, du mußt nach San Francisco fliegen.«

»Nach San Francisco? Bist du übergeschnappt?«

»Wir haben einen Koproduktionsvertrag mit der Norfolk, Sofia. Die Reise war für Montag vorgesehen, aber die Zeit drängt. Sie brauchen dich sofort.«

»Ich liege noch im Bett und bin entsetzlich schläfrig. Ich fliege morgen, Bradley.«

»Zieh dich an«, unterbrach sie der Produzent scharf. »Ein Jet der Norfolk erwartet dich am Flughafen West. Beeil dich.«

Sie schmollte. Diese zusätzliche Arbeit war nicht vorgesehen, sie hatte vorgehabt, den Tag zum Ausruhen zu benützen.

Sie stieg mit geschlossenen Augen aus dem Bett, zog sich im Badezimmer langsam aus und erschauerte unter der eiskalten Dusche. Dann trocknete sie sich ab, zog sich schnell an und lief aus dem Haus.

Sie kannte die Arbeitsmethode der Norfolk. Die Kerle waren noch pedantischer als Bradley. Selbst an den gelungensten Szenen hatten sie etwas auszusetzen.

Das Lufttaxi setzte sie acht Minuten später vor dem Flughafen ab. Sie ging durch den Eingang, der zu den Privatflugzeugen führte, und sah sich suchend nach dem Jet um.

Der Pilot tauchte aus dem Nebengebäude auf und kam auf sie zu.

»Sofia Barlow?«

Er war groß, hatte hellblonde Haare, ein braunes Gesicht.

»Ich bin Mirko Glicoric von der Norfolk Company.«

Sofia antwortete nicht. Der Pilot würdigte sie keines Blicks, sondern fixierte, während er sprach, einen Punkt im Flughafen; seine Augen waren kalt, aggressiv, anthrazitgrau. Er nahm Sofias Köfferchen und ging rasch auf die zentrale Startbahn zu, auf der der Jet der Norfolk wartete. Sofia mußte sich anstrengen, um mit ihm Schritt zu halten.

»Hör mal«, protestierte sie schließlich, »kannst du nicht ein bißchen langsamer gehen?«

Der Pilot rannte weiter, ohne sich auch nur umzudrehen.

»Wir sind bereits spät dran«, erklärte er gleichgültig. »Wir müssen in drei Stunden in San Francisco landen.«

Als sie das Flugzeug erreichten, war Sofia außer Atem.

»Macht es dir etwas aus, wenn ich mich zu dir setze?« fragte sie.

Der Pilot zuckte die Schultern, half ihr beim Einsteigen, setzte sich auf seinen Platz und wartete auf die Freigabe vom Kontrollturm.

Sie betrachtete neugierig und ein wenig eingeschüchtert die unzähligen Anzeigen und die Bedienungshebel. Der Pilot pfiff ungeduldig vor sich hin. Sofia kramte in der Tasche an ihrem Sitz und entnahm ihr ein Dutzend Zeitschriften. Sie waren mehrere Wochen, einige sogar ein Jahr alt und zerknittert. Auf allen Titelseiten prangte ihr Bild. Sie fand auch einen Katalog, der bei der Seite aufgeschlagen war, auf der die Filme angeführt waren, in denen Sofia die Hauptrolle gespielt hatte.

»Gehört dieses Zeug dir?«

Der Pilot antwortete nicht, sondern sah starr vor sich hin. Der Start war vollkommen sanft erfolgt, Sofia hatte nichts bemerkt. Sie sah zum Fenster hinaus und konnte ein bewunderndes »Oh« nicht unterdrücken: unter ihnen erstreckte sich ein Häusermeer, und am Horizont öffnete sich die graue Muschel der Ebene.

»Gehört es dir?« wiederholte Sofia.

Der Pilot drehte ihr den Kopf zu. Eine unmerkliche Bewegung, ein rascher Blick, dann blickte er wieder geradeaus.

»Ja«, antwortete er zwischen zusammengebissenen Zähnen.

Sie versuchte, die Befriedigung zu verbergen, die sie jedes Mal empfand, wenn sie feststellte, daß wieder jemand ihrer Anziehungskraft erlegen war.

»Wie heißt du noch?«

»Glicoric. Mirko Clicoric.«

»Russe?«

»Jugoslawe.«

Sie beobachtete ihn eine Zeitlang. Gerade, schmale Lippen, ein hartes, wie aus Stein gehauenes Profil. Mirko schien wirklich aus Stein zu sein, er sprach nicht, bewegte sich nicht. Sofia verlor die Geduld.

»Darf ich dich etwas fragen?«

»Ja.«

»Vorhin, auf dem Flughafen. Du bist auf mich zugekommen und hast gefragt: ›Sofia Barlow?‹ Warum? Du kennst mich doch. Diese Zeitschriften und der Katalog ... Ich nehme an, daß du zu meinen Fans gehörst. Warum hast du getan, als würdest du mich nicht kennen?«

»Ich habe nicht so getan. Es ist etwas anderes, wenn man dir persönlich gegenübersteht. Ich habe dich erkannt, weil ich gewußt habe, daß du jeden Augenblick auftauchen mußt. Aber in einer Menschenmenge hätte ich dich übersehen.«

Sofia zündete eine Zigarette an. Vielleicht hatte der Pilot recht, vielleicht hätte sie in einer Menschenmenge niemand erkannt, auch wenn sie nicht die dunkle Brille trug. Groll auf den Mann neben ihr regte sich in ihr. Sie versuchte, sich wieder mit ihm zu unterhalten. Mirko blieb undurchdringlich und mißtrauisch.

»Warum schaltest du nicht die automatische Steuerung ein?« fragte sie. »Ich langweile mich, Mirko, sprich mit mir.«

Der Pilot reagierte nicht.

Sofia packte ihn am Arm.

»Mirko! Hör mir zu, du schaltest jetzt die automatische Steuerung ein, und wir rauchen miteinander eine Zigarette.«

»Ich ziehe es vor, selbst zu steuern.«

»Trottel.«

Sie zündete noch eine Zigarette an, dann noch eine, blätterte in den Zeitschriften, zerknüllte unbeherrscht und nervös die Seiten. Sie begann zu singen, klopfte mit dem Fuß auf den Boden, schmollte, streckte sich und tat schließlich, als fühle sie sich nicht wohl.

Mirko suchte in seinen Taschen und gab ihr eine Tablette.

Sofia wurde blaß.

»Trottel!« wiederholte sie. »Ich bleibe nicht hier, ich gehe nach hinten.«

Der kleine Raum hinter der Pilotenkanzel wirkte einladend. Er enthielt eine Couch, eine herausklappbare Küche, einen Tisch und eine Schrankbar.

Sie schenkte sich einen doppelten Brandy ein und trank ihn in schnellen Zügen. Als das Glas leer war, schenkte sie sich sofort wieder nach, während die Umrisse der Gegenstände in einem bläulichen, angenehmen Nebel verschwanden. Sie legte sich auf die Couch und dachte an Mirko: ein Konsument wie alle anderen, ein Trottel. Sie konnte es nicht erwarten, in San Francisco zu landen, den Film abzudrehen und nach New York zurückzukehren.

Diesmal trank sie den Brandy langsam. Als sie das Glas auf den Tisch stellte, war sie einen Augenblick wie betäubt. Sie stieß an den Rand der Couch und spürte einen Ruck, wie bei einem Aufzug, der sich zu rasch in Bewegung setzt. Das Glas rollte über den Tisch, fiel auf den Boden. Dann ein Schmerz in der Schulter, ein Schlag auf die Stirn, Nebel, rote und blaue Kreise, das Dröhnen von wahnsinnig gewordenen Motoren.

Sie stand auf und rief: »Mirko!« Die Tür zur Pilotenkanzel schien versperrt zu sein. Sie stützte sich auf die widerspenstige Klinke und drückte mühsam die Tür auf. Eine Leere im Brustkorb, ein kurzes Schwanken, das absurde Gefühl der Schwerelosigkeit. Sie sah Mirkos Schultern, seine Hände auf dem Schaltbrett und die Wolken, die ihnen wie Traumdunst entgegenkamen.

Mirko sprach jetzt. Er brüllte, ohne daß er es bemerkte. Sie lehnte sich an die Lehne des Sitzes, preßte die Zähne zusammen und wartete auf den Aufprall.

Der Jet stürzte ab.

Als sie die Augen wieder aufschlug, sah sie eine weiße Wolke am Himmel. Ein Geier kreiste hoch oben. Sie lag auf dem Boden und hatte etwas Feuchtes, Schweres auf der Stirn. Sie hob den Arm, berührte ihr Gesicht, die Schläfen, nahm das nasse Tuch ab und drehte sich auf die Seite.

Mirko stand neben den Trümmern des Flugzeugs. Im Hintergrund verlieh eine rote, zyklopische Felswand der Landschaft eine dramatische Note.

»Was war los?« fragte sie leise.

Der Pilot breitete die Arme aus. »Ich weiß es nicht, ich begreife es nicht. Plötzlich hat der Apparat nicht mehr auf die Steuerung reagiert, hat an Höhe verloren und ist abgestürzt. Ich habe ihn wie durch ein Wunder wieder in den Griff bekommen, aber es war zu spät. Sieh dir an, wie weit wir gerutscht sind, bevor uns die Felswand aufgehalten hat.«

Sofia setzte sich auf und massierte sich die geprellte Schulter.

»Und jetzt? Hast du eine Ahnung, wo wir uns befinden?«

Mirko senkte den Blick.

»Wir sind im Grand Canyon, in einem Seitental, in einem unwegsamen, einsamen Gebiet, aber der Bright Angel Trail kann nicht sehr weit von hier sein.«

Sofia riß die Augen auf: »Der Grand Canyon?«

Sie war einige Augenblicke sprachlos, dann begann sie zu lachen.

»Der Grand Canyon«, wiederholte sie. »Das ist wirklich großartig. Unglaublich.«

»Was ist unglaublich?«

»Stell dich nicht blöd, Mirko. Der Motorschaden, die Notlandung, ausgerechnet im Grand Canyon. Genau wie in dem Film, den ich letztes Jahr gedreht habe: ›Ekstase‹, du erinnerst dich doch?«

Plötzlich keimte in ihr ein Verdacht.

»Sag mal, du hast es doch nicht absichtlich gemacht? Ich glaube aber schon, denn es gibt zu viele Hinweise dafür. Du bist wirklich ein Pilot, ich bin zwar keine persische Fürstin, aber Sofia Barlow. Du wolltest mit mir allein sein, nicht wahr? Du wolltest mit mir beisammen sein, wie im Film.«

Mirko sah sie empört an. Dann wandte er ihr den Rücken zu, ging zum Jet, schob die verbogenen Blechteile beiseite und zwängte sich hinein. Er warf ein paar Gegenstände heraus, zwei Decken, einen Wasserbehälter aus Plastik, eine Dose mit synthetischer Nahrung, die Taschenlampe. Als er die zerstörte Kabine verließ, hielt er in der einen Hand die Flasche mit dem Brandy und in der anderen einen schweren Apparat.

»Gehen wir«, befahl er. »Nimm, soviel du tragen kannst.«

Sofia starrte ihn verständnislos an.

»Wohin sollen wir gehen?«

»Ich will nicht zwischen diesen Felsen umkommen. Wir müssen den Hauptcañon erreichen. Phantom Ranch kann nicht mehr als fünfzig Meilen entfernt sein, und es gibt immer einen verrückten Touristen, der nach Westen marschiert, um das Panorama zu fotografieren.«

»Hast du versucht, mit Hilfe des Funkgeräts Verbindung aufzunehmen?

»Das Funkgerät ist erledigt. Beeil dich. Nimm alles, was wir unbedingt brauchen, und komm.«

Er ging mit langen, elastischen Schritten voran. Er hatte die Brandyflasche in die Hüfttasche gesteckt und marschierte leicht vorgebeugt unter dem großen Bündel der Decke, in die er eine Batterie und die schwere Metallschachtel gepackt hatte.

Sofia folgte ihm mit den Lebensmitteln und dem Wasserbehälter.

Nach einer halben Stunde blieben sie stehen. Sofia bekam keine Luft mehr und sah ihn flehend an. Mirko blickte starr vor sich hin. Es war klar, daß er die Frau als Hindernis betrachtete, als den klassischen Klotz am Bein, den er liebend gern losgeworden wäre.

»Du gehst zu schnell, Mirko.«

Der Mann blickte zum Himmel, auf dem drohende Wolken aufzogen.

»Gehen wir. In ein paar Stunden ist es stockfinster.«

Als sie den Hauptcañon erreichten, konnte man kaum noch die Hand vor den Augen sehen. Mirko zeigte auf die Felswand, die rotbraun wie verbranntes Papier war.

»Die Höhle«, meinte er verblüfft.

»Die Höhle«, wiederholte Sofia. »Genau wie im Film. Alles ist wie im Film, Mirko.«

Er half ihr über den Hang hinauf. Beim Eingang zum schwarzen Loch, das sich im Felsen öffnete, legte er das Bündel hin.

»Hab keine Angst, ich bin bald wieder da.«

Er kletterte herum, riß trockene Zweige ab und band sie zu Bündeln zusammen, die er zur Höhle schleppte. »Bald wird es kalt«, meinte er. »Wir brauchen ein Feuer.«

Er schaltete die Taschenlampe ein und untersuchte die Höhle. Sie war etwa fünfzehn Meter lang und bildete ungefähr in der Mitte einen fast rechten Winkel. Mirko schleppte ein Holzbündel zu dem Knick und entfachte dort ein Feuer.

Sie aßen schweigend unter einem ungeheuren Fledermausflügel in der von Licht und Schatten erfüllten Höhle.

»Ich habe das Bündel aufgemacht, während du Holz geholt hast«, sagte Sofia. »Und ich habe gesehen, was drinnen ist – ein Amplex. Warum hast du ihn mitgenommen?«

»Er kostet hundertzwanzig Scheine«, erklärte Mirko. »Für dich als Schauspielerin ist das natürlich ein lächerlicher Betrag. Aber ich muß drei Monate arbeiten, um soviel zu verdienen, verstehst du?«

Er griff nach der Metallschachtel und nach dem Behälter mit den Filmen.

»Und was machst du jetzt?« fragte Sofia verwundert.

»Ich gehe in den hinteren Teil der Höhle. Ich habe ein Recht darauf, allein zu sein, oder?«

»Ja, aber wozu brauchst du den Amplex? Was hast du vor, Mirko?«

Der Mann antwortete nicht. Als Sofia nach dem Behälter

mit den Filmen griff und ihn öffnete, hinderte er sie nicht daran. Sie nahm die Kassetten heraus und las die Inhaltsangaben.

»Das sind ja meine Filme, Mirko! Mein Gott, sie sind komplett. ›Blauer Himmel‹, ›Verführung‹, Abenteuer auf Ceylon‹ ... Es gibt auch eine Matrix, die von ›Ekstase‹. Das ist dein Lieblings-Traumfilm, nicht wahr?«

Mirko blickte zu Boden und antwortete nicht. Sofia verschloß den Behälter wieder. Eine Matrix war ein Luxus, den sich nur wenige Leute leisten konnten. Wenn man einen gewöhnlichen Traumfilm einmal abgespielt hatte, mußte man ihn wegwerfen, weil er durch die Abtastvorrichtung des Amplex entmagnetisiert wurde. Die Matrix hingegen hielt ewig, war praktisch unzerstörbar. Und deshalb kostete sie ein Vermögen.

»Wann hast du sie gekauft?« wollte Sofia wissen.

Der Mann zuckte unwirsch die Schultern.

»Hör auf«, sagte er. »Du gehst in deiner Neugier wirklich zu weit. Was willst du von mir wissen? Von deinen Filmen werden Millionen Kopien an Millionen Konsumenten verkauft. Ich bin einer von vielen. Ich habe eine Matrix von ›Ekstase‹ gekauft. Na und? Was soll daran so außergewöhnlich sein? Dieser Film hat mir eben besonders gefallen. Ich ...«

»Weiter.« Sofia hatte ihm die Hand auf den Arm gelegt.

»Es vergeht kein Tag, an dem ich ihn mir nicht ansehe«, erklärte der Pilot rauh. »Und jetzt gib Ruhe und versuch zu schlafen, denn bei Tagesanbruch müssen wir uns auf den Weg machen. Ich gehe nach hinten.«

»Mit dem Amplex?«

»Ja, verdammt noch mal. Was geht dich das an? Ich will den Film in Ruhe genießen.«

Sofia schluckte krampfhaft. Sie war plötzlich tief unglücklich, als wäre ihr gesamter Lebenswille schlagartig erloschen. Das ist doch unmöglich, dachte sie. Was ist mit mir los? Was will ich überhaupt von diesem Mann, der tausend Gründe hat, mich nicht zu beachten?

Sie empfand das Bedürfnis, ihn zu verletzen, ihm Beschimpfungen an den Kopf zu werfen, ihn zu ohrfeigen. Aber die Vorstellung, daß Mirko sie in die Arme schloß, beseitigte die Hemmungen.

»Ich bin doch persönlich anwesend«, sagte sie zu ihrer Überraschung.

Mirko drehte sich um.

»Was ist los?«

»Ich habe gesagt, daß ich persönlich anwesend bin. Heute nacht brauchst du deine Filme nicht, Mirko.«

»Ich brauche sie nicht?«

»Nein. Du kannst mich haben, wie im Traum, besser als im Traum.«

Mirko begann zu lachen.

»Das ist nicht dasselbe. Mach dich nicht lächerlich, indem du wie eine Aktivistin der Anti-Traum-Liga sprichst. Findest du das komisch?«

»Ich sage dir noch einmal, daß du mich haben kannst.«

»Und ich sage dir noch einmal, daß es nicht desselbe ist.«

»Mirko!« flehte sie ihn außer sich an. »Du brauchst mich. Jeden Tag spielst du die Matrix ab und träumst, träumst, träumst von dieser Höhle, von dem brennenden Feuer, von meinen Küssen, von meinem Körper, den ich dir gerade angeboten habe. Es ist alles wie im Film, du verdammter Narr. Worauf wartest du, um mich zu nehmen? Ich kann alles tun, was du willst, ich selbst, ich kann es wirklich tun.«

Einen Augenblick wirkte Mirko unentschlossen. Dann schüttelte er den Kopf und ging tiefer in die Höhle hinein.

»Mirko!« rief sie verzweifelt. »Ich bin Sofia Barlow! Sofia Barlow, begreifst du denn nicht?«

Sie öffnete den Reißverschluß des Overalls, riß sich das Kleidungsstück vom Leib und warf es auf den Boden.

»Sieh mich an!« schrie sie.

Die roten und grünen Flammenzungen des Feuers tanzten, der durchdringende Duft des Waldes verbreitete sich in der Höhle. Die Hände des Mannes ballten sich zu Fäusten, seine Lippen zitterten, als litte er unerträgliche Schmerzen.

Mirko zögerte noch einen Augenblick, dann warf er die Filme ins Feuer und lief auf sie zu.

Zuerst das blaue Licht, dann das rote. Dann wieder das blaue. Als der Film zu Ende war, schaltete sich der Apparat automatisch ab.

Sofia nahm den Amplex-Helm ab. Ihre Schläfen waren schweißnaß, ihr Herz klopfte wild, und sie zitterte an allen Gliedern. vor allem ihre Hände bebten. Sie hatte noch nie einen Traum so intensiv erlebt, einen Traumfilm, in dem sie sie selbst sein mußte. Sie mußte sich sofort bei Bradley bedanken.

Sie rief an. Als der Produzent auf dem Bildschirm erschien, brachte sie jedoch kein Wort heraus und stotterte nur aufgeregt etwas Unverständliches. Schließlich begann sie zu weinen.

Bradley wartete geduldig.

»Ein kleines Geschenk, Sofia. Ein Nichts. Wenn eine Schauspielerin den Gipfel ihrer Karriere erreicht, hat sie Anspruch auf andere Anerkennungen. Und du wirst sie bekommen, Sofia. Du wirst alles erhalten, was dir zusteht. Denn das System ist vollkommen. Irreversibel.«

»Ja, Bradley. Ich ...«

»Das geht vorbei, Sofia. Früher oder später erlebt es jede Schauspielerin. Das letzte Hindernis, das man überwinden muß, ist immer die Eitelkeit. Auch du hast geglaubt, daß ein Mann dich dem Traum vorziehen könnte, du bist der gefährlichsten Häresie verfallen, aber wir haben es rechtzeitig bemerkt und für Abhilfe gesorgt. Mit einem Geschenk. Diese Matrix wird dir helfen, die Krise zu überwinden.«

»Ja, Bradley. Ich bedanke mich bei den Technikern, dem Kameramann, dem Regisseur, bei allen, die diesen Traumfilm realisiert haben. Vor allem bei dem Schauspieler, der den Piloten gespielt hat.«

»Er ist ein Neuer, ein sehr begabter Schauspieler.«

»Danke ihm in meinem Namen. Ich habe wunderbare Augenblicke erlebt. Und ich danke auch dir, Bradley. Ich kann mir vorstellen, wieviel Zeit und Geld euch dieser Film gekostet hat. Er ist vollkommen. Ich werde ihn in der Ehrennische meiner Filmothek aufbewahren.«

»Unsinn, Sofia. Du gehörst der herrschenden Klasse an.